2008

6/2009 LAD
16 circs
(9/09)

Ira

Lujuria

Simon Blackburn

Envidia

Joseph Epstein

Gula

Francine Prose

Avaricia

Phyllis A. Tickle

Pereza

Wendy Wasserstein

Ira

Robert A. F. Thurman

Soberbia

Michael Eric Dyson

Ira

Los siete pecados capitales

Robert A. F. Thurman

PAIDÓS
Barcelona
Buenos Aires
México

Título original: *Anger*
Originalmente publicado en inglés, en 2005, por Oxford University Press, Inc., Nueva York
Traducción publicada con permiso de Oxford University Press, Inc.
This translation of *Anger*, originally published in English in 2005, is published by arrangement with Oxford University Press, Inc.

Traducción de Gemma Andújar

ISBN: 84-493-1849-1
Depósito legal: B-1.339/2006

Impreso en Novagràfik, S.L.
Vivaldi, 5 – 08110 Montcada i Reixac (Barcelona)

Impreso en España – Printed in Spain

Las experiencias encuentran su origen en la mente. La mente es su fundamento y son creaciones de la mente. Si uno habla o actúa con un pensamiento impuro, el sufrimiento le sigue, de la misma manera que la rueda sigue a la pezuña del buey. Las experiencias encuentran su origen en la mente. La mente es su fundamento y son creaciones de la mente. Si uno habla o actúa con un pensamiento puro, la felicidad le sigue como una sombra que jamás lo abandona.

«Me maltrató, me golpeó, me derrotó, me robó.» La ira de quienes albergan tales pensamientos jamás se extingue.

«Me maltrató, me golpeó, me derrotó, me robó.» Quienes no albergan tales pensamientos se liberan de la ira.

La ira nunca se extingue con la ira en este mundo; solamente se apaga con amor. Esta es una antigua ley eterna.

Muchos desconocen que, al disputar, perecemos; pero todos aquellos que lo comprenden refrenan por completo sus disputas.

Verdaderamente felices vivimos sin odio entre los que odian. Entre seres que odian, vivimos sin odio.

Uno debe liberarse de la ira, abandonar la soberbia y liberarse de todas las ataduras. El sufrimiento no toma a quien no tiene apego por las palabras y las cosas, y vive sin posesiones.

A quien refrena la ira que surge, de la misma manera que quien controla una cuadriga tambaleante, a ése llamo yo conductor. Los demás sostienen meramente las riendas.

Dhammapada, El camino de la verdad,
I, 1-6; XV, 1; XVII, 1-2.
Traducción de Sangharakshita
(con algunas modificaciones)

Sumario

Nota del editor original

Este volumen forma parte de una serie de libros y conferencias sobre los siete pecados capitales auspiciada de forma conjunta por la Biblioteca Pública de Nueva York y Oxford University Press. El objetivo era invitar a estudiosos y escritores a mostrar las distintas formas de abordar y entender el mal examinando un pecado capital cada vez. Mediante exploraciones tanto históricas como contemporáneas, cada escritor se ha enfrentado al desafío conceptual y práctico que el pecado capital en cuestión plantea a la espiritualidad, la ética y la vida cotidiana.

El concepto de los siete pecados capitales no tiene su origen en la Biblia. Las fuentes revelan unas primeras clasificaciones de pecados elaboradas en el siglo IV por Evagrio Póntico y, posteriormente, Juan Casiano. En el siglo VI, Gregorio Magno formuló los siete pecados tradicionales. Se clasificaban en orden creciente de gravedad y eran considerados las mayores transgresiones del alma y causa de todos los demás pecados. Como algunos de ellos se incluían en otros y el examen teológico intercambiaba términos similares, la lista evolucionó hasta incluir los siete tal como los conocemos: Soberbia, Avaricia, Lujuria, Envidia, Gula, Ira y Pereza. Para contrarrestar tales violaciones, los teólogos cristianos clasificaron las siete virtudes, divididas en cardinales: Prudencia, Justicia, Fortaleza y Templanza; y teologales: Fe, Esperanza y Caridad. Los pecados capitales fueron fuente de inspiración para escritores medievales y renacentistas como Chaucer, Dante y Spenser, que los personificaron con la creación de personajes memorables y de gran riqueza. La inclusión de colores, animales y castigos en el infierno profundizó las descripciones. A lo largo de la historia, la famosa lista ha estado presente en tratados filosóficos y teológicos, en la psicología, la política, la crítica social, la cultura popular y el arte y la literatura. Ya representen las flaquezas humanas más comunes o imperfecciones espirituales de mayor gravedad, los pecados capitales siguen estimulando la imaginación y suscitando la inevitable pregunta: ¿cuál es *nuestro* propio pecado capital?

La fascinación contemporánea por unos pecados de tan inveterado arraigo, la lucha contra ellos o su celebración, dice mucho tanto de nuestro continuado deseo de desentrañar la naturaleza humana como de nuestras aspiraciones divinas. Espero que este libro y los demás inviten al lector a permitirse una reflexión similar sobre el vicio, la virtud, lo espiritual y lo humano.

Elda Rotor

Ira

Introducción

La ira me provoca enfado: la odio. Quisiera deshacerme de ella; quisiera liberarme de ella. Quisiera que nunca más me dominase y utilizara mi cuerpo, mis palabras y mi mente para herirme y para herir a los demás. Pero odiarla me suscita un dilema: si me pongo furioso con la ira, la ira consigue dominarme. Para detenerla, no puedo estar enfadado. Si dejo de enfadarme, sea de la manera que sea, consigo el objetivo que me he propuesto. Pero si la ira no me provoca enfado, ¿acaso no volveré a caer en ella después de todo?

Siempre he tenido un problema con la ira. Solía perder los estribos con mucha facilidad, con mucha intensidad y me dejaba arrastrar a un violento torbellino de pensamientos, palabras bruscas, un furioso movimiento de vez en cuando, una carga tal vez, hace mucho tiempo, un golpe, algún insulto. ¿Había nacido con ese mal carácter? ¿Procedía de las primeras experiencias vividas en la infancia? Recuerdo tener que defenderme ante mi hermano mayor, con el rostro encendido y la respiración entrecortada, mientras canalizaba el miedo que, como una oleada, brotaba desde mi interior en forma de cólera desatada, con la esperanza de que él acabara teniéndome miedo y no al revés. ¿Había en ello un elemento de actuación teatral? En ocasiones. ¿Lo perdí realmente? En ocasiones. La línea divisoria era muy tenue.

Tenía muchas desventajas en estas peleas, una de ellas bastante importante, o eso es lo que me parecía por entonces. Hasta los doce años de edad, fui más bajo que mi hermano. Sus golpes me alcanzaban antes de que pudiera golpearle yo. Y lo que es peor aún, parecía tener una fobia que me impedía golpear un rostro, cualquier rostro. Por muy furioso que estuviera, cuando mi puño se acercaba a un rostro humano, se desviaba como si fuera repelido magnéticamente y golpeaba en el hombro. La fobia era tan grave que fui incapaz de boxear en el colegio y tuve que decantarme por la esgrima. No me gustaba dar sablazos ni que me los dieran a mí en la práctica de sable, así que me quedé con el florete. No tenía problemas para clavar la flexible arma con punta de goma en el vientre o el pecho protegido de mi contrincante.

El mal carácter me procuró una lengua viperina. Hasta que di el estirón a los doce años, era el bocazas corto de estatura, lo bastante listo como para buscar el punto débil de alguien y pincharle ahí. En ocasiones, iba demasiado lejos y había graves problemas. Por suerte, cuando recuperaba la serenidad, tenía sentido del humor y no me costaba hacer amigos, de modo que disfrutaba de un amplio círculo de amistades. A medida que fui creciendo y desarrollándome desde el punto de vista intelectual, me convertí en un implacable polemista en los debates y, sin duda, parece que resulté demasiado intimidante como estudiante universitario, estudiante de posgrado y joven profesor. De hecho, cuando fui monje budista tibetano, mi anciano «maestro lama» mongol, principal maestro espiritual, llegó a prohibirme aprender las técnicas y los trucos especiales del debate formal tibetano, pues decía que ya era capaz de debatir bastante bien sin saberlos y, si hubiera tenido todos los trucos a mi disposición, «¡habría hecho infeliz a demasiada gente!». Me sentí bastante frustrado, pero acabé aceptándolo tras algunas quejas, y seguro que muchos colegas posteriores se lo habrían agradecido si hubieran sabido quién les había evitado quién sabe qué.

En mi familia, en tanto que el hijo mediano, yo era quien ponía paz entre mis padres, mis abuelos y mis hermanos, ya que todos ellos eran muy impulsivos e, incluso, teatreros en sus peleas histriónicas. Sin embargo, tiempo después, cuando renuncié a los votos monásticos, entré de nuevo en el mundo, me casé y me dediqué a la tarea de ejercer de esposo de mi mujer y padre de mis hijos, descubrí que, en lo más profundo de mí mismo y con sus pautas habituales, seguían acechando la impaciencia, la frustración y una ira candente, sí, que debía de haber recibido por mi linaje paterno de campesinos blancos del sur de Estados Unidos. Traté de reprimir los sentimientos y comportamientos de dominancia masculina patriarcal más repugnantes, empleando las percepciones y técnicas filosóficas, psicológicas, contemplativas y de «reforma mental» que había aprendido cuando era monje, con más o menos éxito en distintas situaciones. Todavía no soy perfecto en cuanto a paciencia y dominio de mí mismo, aunque he experimentado la suficiente mejoría como para estar agradecido a la tradición que aún sigo aprendiendo, y como para albergar la seguridad intelectual de que las percepciones son sólidas y los métodos, efectivos.

La tarea de nuestras generaciones que reviste mayor importancia para el mundo consiste en utilizar un nuevo nivel de percepción introspectiva y dominio de uno mismo para romper la cadena ascendente de violencia personal, familiar y cultural de mente, palabra y cuerpo. No podemos traer a este mundo la verdadera paz que tanto necesitan las futuras generaciones si no nos liberamos nosotros mismos de la esclavitud a que nos somete nuestra ira heredada y su violencia. No podemos aceptar la sabiduría convencional que lo considera algo imposible, idealista, utópico, ya que un mundo de destrucción mutua asegurada acabará, con toda seguridad, destruyéndose a sí mismo. Además, todos los profetas y visionarios de todas las épocas han coincidido en anunciar un nuevo cielo y una nueva Tierra, en lugar del fin de toda vida. Finalmente, aunque sucediera lo peor, tenemos la obligación de hacer todo cuanto esté en nuestra mano para producir lo mejor, para no albergar ningún remordimiento, sea lo que sea.

Existen dos posturas extremas ante la ira que tomaré como polos opuestos entre los cuales espero exponer una vía intermedia en este ensayo. Las denomino «resignación ante la ira» y «renuncia a la ira».

La primera postura extrema afirma que no se puede hacer nada ante la ira, salvo, quizá, modularla un poco. Existen versiones tanto religiosas como laicas de esta postura. La versión religiosa asegura que «Dios» es un Dios iracundo; incluso Jesús demuestra mal carácter cuando tira las mesas de los cambistas al expulsarlos del templo y critica a los fariseos, entre otros. La ira es algo dado por Dios. Todos nos enfadamos; la ira es saludable. Necesitamos la ira para deshacer agravios, corregir los males sociales, rebelarnos ante la opresión. La ira sólo es mortífera, pecaminosa o mala cuando es injusta, excesiva o autodestructiva. Cualquiera que trate de controlarla o vencerla se está engañando, al tratar de ser perfecto, paralizado en las garras de Lucifer.

La versión laica de esta postura se fundamenta en una versión darwinista social de la biología para sostener que todos tenemos «integrada» la ira. La necesitamos para protegernos del peligro de agresión o de opresión. Constituye nuestra fuente de valor en una lucha. Cualquiera que piense que podemos deshacernos de ella es que no ha leído a Freud ni a sus epígonos.

La segunda postura extrema considera que la ira puede erradicarse por completo. Es un pecado capital sin ningún género de duda; es totalmente destructiva e injustificada en cualquier circunstancia. Debemos conseguir borrarla de la existencia. Debemos aprender a meditar, a trascender toda emotividad. Es un fuego, y sólo puede quemarnos. Cuando sofocamos ese fuego, alcanzamos el Nirvana, la Piedad, la perfección. Todos debemos alcanzar la santidad y, con el tiempo, de algún modo, llegar a ser perfectos, sobrehumanos.

La primera postura extrema predomina en Occidente, en sus versiones tanto religiosa como laica, y también tiene una amplia representación en Oriente. La segunda postura extrema está presente en Occidente, adoptando las formas del gnosticismo y de la mayor parte de los misticismos judaicos, cristianos e islámicos, si bien se halla más generalizada en Oriente, en forma de budismo dualista y misticismos hinduista y taoísta. De modo que, en realidad, la división Oriente-Occidente no resulta muy útil, como tampoco la división monoteísta-no teísta, ni la división cristiano-budista. La vía intermedia que voy a elaborar en estas páginas es más compleja de lo que sugieren esas polaridades estereotipadas.

Para complicar un poco más las cosas, sólo por diversión, yo estoy de acuerdo y en desacuerdo con cada una de estas posturas extremas: la resignación ante la ira y la renuncia a la ira.

En cuanto a la primera postura extrema, la resignación ante la ira, estoy de acuerdo en que la ira posee una energía que no puede evitarse por completo. Es como el fuego, y el fuego es elemental; quema y puede resultar doloroso. No es realista pensar que es posible eliminar el fuego de un mundo del cual forma parte y dejar intactos el resto de los aspectos más fríos de ese mundo. Por otra parte, no estoy de acuerdo en la medida en que la analogía del fuego no significa que la ira sea fuego, nada más, y que no hay fuego sin ira. El Dios iracundo de los mitos antiguos es una proyección tribal, no una realidad fundamental. «Ese Dios» es un dios tribal entre dioses tribales, ni más ni menos iracundo que la gente corriente de esa tribu. Jesús fue descrito como alguien lleno de ira por los iracundos escritores de los Evangelios, unos cristianos judíos primitivos que utilizaron su historia para representar como el mal a sus enemigos, los judíos rabínicos que no aceptaban que Jesús fuera el Mesías. Freud fue un buen observador de la naturaleza humana, pero sólo era un principiante en la joven ciencia de la psicología en una cultura violenta, que estaba relativamente atrasada en lo que los indios denominaron hace mucho tiempo la «Ciencia Interior» de la psicología. Que la ira no puede evitarse es un principio fundamental en las culturas patriarcales y militaristas de nuestra reciente trayectoria histórica de los últimos cinco milenios aproximadamente; por consiguiente, debemos tener ejércitos profesionales, policía, cárceles, severos controles sociales y la pena de muerte. Pero podemos hacerlo mejor y no hay por qué abandonar.

En cuanto a la segunda postura extrema, la renuncia a la ira, estoy de acuerdo y, al mismo tiempo, en desacuerdo, como he dicho. Estoy de acuerdo en que la ira resulta inevitablemente destructiva, nunca está justificada y es algo inútil. Estoy de acuerdo en que, cultivando la sabiduría crítica y una concentración estabilizada en grado máximo, es posible retirarse tan completamente de la realidad convencional, tan excesivamente sustancializada e ilusoria que el fuego de la ira, el torrente de pasión, la jaula del engaño pueden eliminarse totalmente para alcanzar de forma permanente y completa el supremo éxtasis del Nirvana. No hay nada malo o poco realista en esto. El Nirvana es la suprema beatitud, el corazón mismo de «Dios», como percibieron muchos santos, tanto en Occidente como en Oriente, y una Ciencia Interior de la psicología, más sofisticada, está en vías de descubrirlo de nuevo en Occidente.

Pero, ¿acaso no estoy de acuerdo con la renuncia a la ira cuando retomamos la pregunta de qué es el Nirvana? ¿Para qué sirve? ¿Sirve únicamente para la paz solitaria de cada uno? ¿Acaso no hay otros seres en el mundo? ¿Acaso es «Dios» todo corazón, incorpóreo, y desatiende a los seres ilusos y, a pesar de todo, prisioneros? ¿Acaso no existe un buen uso del fuego, no vinculado ya con la ira, para calentar, para iluminar, para consumir el sufrimiento de los demás? ¿Acaso la sabiduría no puede manejar el fuego, sostenerlo como la luz de un farol, para iluminar la oscuridad de la ignorancia, el prejuicio y el desconocimiento egocéntrico? ¿Acaso Buda no se muestra tremendamente intransigente con la condena a otros al sufrimiento eterno? ¿No manifiesta acaso encarnaciones de furia, igual que Dios? ¿Acaso los santos no regresan para cuidar a los no santos?

Cuando la ira está estrechamente vinculada con el odio abruma a la persona razonable con una dolorosa pinza y la utiliza como esclava o instrumento para herir o destruir el objetivo de esa ira odiosa, sin reparar en que esta acción destruye el instrumento durante el proceso. Nunca resulta útil, nunca está justificada, siempre es perjudicial para uno mismo y para los demás. Cuando se organiza de un modo sistemático, se convierte en una guerra total, una fisión nuclear. Pero, por suerte, siempre puede controlarse, reprimirse y, en última instancia, prevenirse, evitarse y trascenderse. Decididamente, el esclavo de la ira puede liberarse. No hay por qué resignarse a su dominio. Entonces, la energía neutra y en bruto de la ira, la ardiente llama de la furia, el poder del «átomo pacífico», puede convertirse en una herramienta eléctrica. Puede calentar la casa, iluminar la oscuridad, romper las cadenas de la ignorancia. La compasión puede utilizar esta llama con una tremenda eficacia para destruir el sufrimiento de otros seres. La ira suele monopolizar el fuego, transformándolo con fines destructivos. Sin duda, nuestra meta es vencer a la ira, pero no acabar con el fuego que ha malversado. Blandiremos esa llama con sabiduría y la transformaremos con fines creativos.

Aquí entra ahora la afirmación más provocadora para nosotros, materialistas, que, de ser cierta, pone del revés y patas arriba toda nuestra visión «científica» del mundo. El verdadero fuego en nuestra realidad relativa, el pulsar, la llama supernova, el fuego del día del juicio final que dividió los átomos mucho antes que Einstein y los reactores nucleares, resulta ser, después de todo, *la mente en llamas, la ardiente llama de la sabiduría crítica*, una energía fundamental aprovechada y liberada por la mente. Y puede demostrarse que este hecho, conocido por los budas desde tiempos remotos, es cierto en nuestra experiencia personal. La sabiduría es la *prajnya*, el superconocimiento, la superinteligencia de los budas, la percepción crítica que analiza completamente tanto las apariencias superficiales como la naturaleza fundamental de las cosas en un impulso adamantino por descubrir su verdadera realidad. Descomponer las cosas de modo analítico las destruye en cierto sentido, las disecciona, las cala, se enfrenta con su no existencia última, precisamente para discernir las verdaderas cualidades de su existencia relativa. Una vez se ha completado ese descubrimiento y ese discernimiento, uno queda liberado de ser el instrumento y se convierte en dueño y señor de esas energías muy profundas. Sólo entonces es posible canalizar la violenta energía, antes prisionera de una ira frenética, para imprimir una nueva forma al mundo de las cosas, para poder apoyar mejor las vidas y las liberaciones de los seres sensibles.

Por lo tanto, la tradición budista, «infiniteísta», científica y psicológica, representa simbólicamente la liberadora sabiduría trascendente como una afilada espada con ardientes llamas que resplandecen en la punta: un escalpelo diseccionador, un foco de luz brillante, un llameante cortador de metal. Las tradiciones monoteístas, por mediación de la fe, identifican esta inteligencia y energía fundamentales como la «mente de Dios» y la consideran capaz de crear y destruir todas las cosas y a todos los seres. La diferencia entre los infiniteístas y los monoteístas radica en que estos últimos descartan el acceso humano a esta mente iluminada fundamental, descartan la posibilidad evolutiva de que los seres humanos y otros seres alcancen por sí solos la budeidad perfecta. Por consiguiente, descartan la posibilidad evolutiva de que el ser humano alcance una total libertad de la ira. Más allá de eso, no pueden concebir que el ser humano iluminado pueda manejar el fuego que antes controlaba la ira para destruir el mundo de la ignorancia y crear, posteriormente, un mundo de liberación para todos los demás. Mejor dicho, eso sucede con la mayoría de los monoteístas, ya que algún que otro místico y gnóstico ha experimentado la «mente de Dios». Pero es difícil que lleguemos a conocerlos, ya que las autoritarias sociedades occidentales tienden a eliminarlos en cuanto aparecen.

La transformación de la energía de la ira en la fuerza de la compasión que se realiza por medio de la sabiduría crítica pone patas arriba el mundo convencional de seres egocéntricos, porque la mente aguda resulta ser más poderosa que cualquier materia bruta; y también lo pone del revés, por cuanto el poder supremo de Dios, las llamas incandescentes de las supernovas destructoras de estrellas, resulta hallarse en sus propias mentes, es su responsabilidad; y también lo invierte, porque los demás llegan a ser más importantes que uno mismo; la sabiduría llega a ser más maravillosa que la ignorancia; la libertad, más natural que el vínculo y el amor, más poderoso que la ira odiosa. Aquí es donde resulta posible la conquista total de la ira; vivir en la verdad, fundamental para sobrevivir; vivir sin miedo, fundamental para «supervivir», y vivir con dicha, prosperidad y bendiciendo a los demás.

CAPÍTULO UNO

El presente trascendental

Es totalmente positivo que pasemos juntos algún tiempo meditando sobre el tan temido terror que suscita la ira. Desde tiempos remotos se ha entendido como un «pecado capital» en el Occidente cristiano e islámico. En el Oriente budista, la ira (*dvesha*) se ha considerado una adicción (*klesha*) o un veneno (*visha*), uno de los tres venenos principales (junto con la avaricia y el engaño) que constituyen la verdadera causa que explica la vida de sufrimiento, el *samsara*, o ciclo vital interminable de frustración sin iluminación.

Es especialmente importante meditar juntos sobre la ira, por muy doloroso que pueda resultar como tema, porque nuestra nación y el mundo se encuentran a las puertas del estallido de otro conflicto bélico importante. La «guerra» no es sino el nombre que recibe la «ira organizada». La ira organizada culturalmente establece los patrones de nuestro estilo de vida militarista y violento, representado por héroes desde Aquiles hasta Terminator. En la actualidad, la ira organizada políticamente se ha convertido en la agresiva guerra mundial de Estados Unidos (al amparo del adjetivo «preventiva») para derrotar al «terror», donde nos han metido con engaños nuestro gobierno corporativizado y la propaganda de sus medios de comunicación. Un antiguo jefe de la CIA ha denominado abiertamente a esta guerra mundial que se avecina la «Cuarta Guerra Mundial» (contando la «Guerra fría» como la Tercera Guerra Mundial). Supone una importante escalada del sistema de guerra planetaria que lleva creciendo sin interrupciones durante más de un siglo.

Desde el principio, hemos pensado que estábamos llegando al fin de la guerra. Woodrow Wilson creyó que la Primera Guerra Mundial supondría el final de todas las guerras. En la década de 1990, algunos pensaron que el final de la Guerra fría supondría el fin de la historia. Nos encontrábamos bajo una luz de esperanza en el nacimiento de un nuevo siglo, cuando estaba empezando a parecer posible una sociedad global pacífica. De repente, se subvirtieron unas elecciones (como pareció obvio a casi todos los habitantes del planeta, salvo a nosotros); se perdió cualquier tipo de «dividendo de paz» de la posguerra; el desastre del 11 de septiembre resucitó en nuestro subconsciente colectivo la catástrofe de la «torre de Babel» bíblica y, actualmente, nos encontramos sumergidos en una «interminable guerra contra el terror». Una vez más, nos han esclavizado la economía, la cultura y la ideología de la guerra interminable.

La ira canaliza la energía hasta convertirla en guerra. La ira termonuclear, la ira química, la ira biológica, se vuelven armas de destrucción masiva y, desde luego, pueden destruir cualquier tipo de vida en este pequeño planeta (si se piensa desde la perspectiva racional de continuidad de la vida, ningún ser tiene garantizado un dulce olvido, sólo la pérdida de la presente forma de vida y del planeta donde vive, y los seres que siguen se quedan buscando nuevos hogares donde sufrir). La guerra mundial potencialmente interminable deifica las formas de la ira, que dominan el sistema mundial más que nunca y prestan apoyo a sus economías violentas, sus artes y culturas, sus medios de comunicación, su plan de estudios educativo y sus patrones comunitarios y familiares autoritarios, así como sus constelaciones de personalidad individual.

Por este motivo, es de lo más urgente que examinemos la ira, observemos su naturaleza, evaluemos si es, en realidad, un pecado o un veneno, decidamos hasta qué punto es «mortal». La pregunta clave: ¿La ira es meramente una parte inevitable de la vida y, por lo tanto, debe soportarse y controlarse con resignación? ¿O acaso es posible enfrentarse a ella y superarla en esta vida y, por lo tanto, no tolerarla, sino combatirla y derrotarla individual, social o, incluso, globalmente?

CAPÍTULO DOS

Breve recorrido por la resignación ante la ira

¿Cómo surge la ira como «pecado capital» en Occidente? La ira se consideraba «capital» o «mortal» entre los pecados porque resulta letal para la vida del alma en Dios y nefasta para nuestra conexión con el gozo divino. Si se muere albergando ira en el corazón, es decir, sin arrepentirse, sin confesarla y sin pasar a la acción para liberarse de ella, uno se condena a infernales estados de la existencia. Así que la ira no tenía nada de «mortal» en Occidente sin el contexto cósmico de una existencia futura real para las personas después de la muerte, ya fuera en el cielo o en el infierno. De igual modo, la ira también se considera «mortífera» en Oriente (aunque el término técnico «mortal» no se utilice del mismo modo, la ira se representa con el símbolo de una serpiente venenosa), porque propicia que las personas se maten unas a otras o se maten a sí mismas en esta vida y, además, hace que las personas adopten las más horribles reencarnaciones, no sólo en los reinos del infierno, sino también en los de fantasmas (*pretan*), animales brutos, titanes y en los tipos más miserables de reinos humanos: ¡un abanico mucho más amplio de posibilidades biológicas realmente horrorosas!

Muchos contemporáneos siguen pensando en la ira como algo «mortal», pero ahora se considera una «emoción negativa», ya que el «pecado» no es una idea muy popular, salvo en círculos religiosos místicos o fundamentalistas. Se ha desvanecido drásticamente el contexto cosmológico de perspectiva racional de una existencia futura, de modo que «mortal» sólo puede significar ahora «fatal» para las oportunidades de conseguir la felicidad en esta vida y posiblemente fatal para esta vida por matar o que lo maten a uno. Pero ya casi no se tiene la sensación de que una emoción o una acción resulte «mortal» para el alma, pues las personas materialistas y religiosas en el sentido meramente ideológico (aun culturalmente materialistas) no sienten que «tengan» un «alma» y, por consiguiente, no experimentan una excesiva preocupación visceral por la futura reencarnación o la continuidad personal. Algunos encuestadores religiosos afirman que casi el noventa por ciento de los estadounidenses (o algún otro porcentaje absurdamente elevado) cree que tendrá una existencia futura y está seguro de que irá al cielo (ya sea por gracia de Jesús o bien acudiendo a Dios directamente si son judíos o musulmanes). Los resultados de estas encuestas me parecen imposibles de creer por la experiencia que he tenido con personas de la ciudad. Aunque fueran ciertos, el tipo de existencia futura que tales personas consideran probable no parece ser uno donde la ira pueda meterte en muchos problemas. Por lo menos, no puede meterte en un problema del que Jesús o Dios no puedan sacarte, de modo que no resulta tan sumamente mortal. Y, encima, tanto Dios como Jesús parecen manifestar y permitir que otros manifiesten cierto tipo de ira justificada contra infieles, pecadores y todas las personas no elegidas para la salvación tanto en este mundo como en el más allá.

De modo que, en realidad, en el Occidente religioso contemporáneo no se piensa que la ira sea un problema tan grave. Es algo así como un fenómeno natural, como una tormenta o un relámpago, y quizás incluso algo bastante respetado en tanto que prerrogativa masculina y privilegio de autoridad. Tal vez la ira de las mujeres suscite más desaprobación desde el punto de vista conductual, al considerarse propia del mal genio y la histeria. Además, está la ira justificada, contra la delincuencia y la injusticia, los holgazanes y los entrometidos, la opulencia y la indigencia, que engloba desde individuos que deben ser castigados hasta comunidades contra las cuales han de librarse cruzadas. De modo que algunas personas religiosas contemporáneas pueden esforzarse por reprimir la ira en tanto que algo, de algún modo, problemático desde el punto de vista moral y práctico, pero, en cierto sentido, también la respetan, permiten muchos usos de ella y consideran, en última instancia, que queda más allá de un entendimiento y un control completos, en la esfera de la Naturaleza o de Dios. Les encanta cuando adopta la forma de pena de muerte, leyes de encarcelamiento draconianas y campañas contra la droga, el terrorismo, el analfabetismo y demás.

En cambio, los laicos, entre los cuales creo que se encuentra la mayoría de las personas que conozco (a pesar de que, supuestamente, no sean más que entre el cinco y el diez por ciento de los estadounidenses), tienen una visión totalmente distinta de la ira. Relegan el tipo de ira «pecado mortal» al cubo de la basura de los conceptos que emplean las instituciones religiosas para reprimir al ser humano natural. Son totalmente reacios a ideas de pecado o culpabilidad en general. Les preocupan las recientes pruebas científicas de los efectos debilitantes y perjudiciales para la salud de la ira, aunque puedan sospechar que tales pruebas sean incorrectas, debido a la parcialidad que suscita la intromisión del pensamiento religioso en el laboratorio. En cualquier caso, esa gente tiene aprecio a la ira y está dispuesta a rehabilitarla como emoción o energía útil, aprendiendo las últimas técnicas de «gestión de la ira». Las mujeres liberadas modernas están especialmente decididas a reclamar su propio acceso legítimo a la ira, a utilizarla para que les ayude a librarse de la intimidación, la dominación y la opresión machistas masculinas. Son conscientes de que puede resultar destructiva para uno mismo, las relaciones y los demás, pero creen que, en la situación de implacable opresión que llevan soportando desde hace tanto tiempo, actúa de un modo invisible, clandestino, en relaciones económicas, culturales y sociales opresivas, e inevitablemente acabará perjudicándolas si no la sacan a la luz, la ejercen y la dirigen contra algo que esté lejos de ellas mismas. Los laicos no temen existencias futuras desagradables, están decididos a mejorar las cosas aquí y ahora, y ven la ira como una poderosa energía que debe emplearse en esa empresa, eliminando los obstáculos que impiden una felicidad segura y presente.

Comparto totalmente su valor y sus objetivos; sin embargo, me pregunto por el realismo del contexto donde hacen sus elecciones y si están utilizando de la mejor manera posible esa energía de la ira. Algo que comparten con sus contemporáneos religiosos es la idea de que la ira representa una fuerza inevitable, una fuerza de la Naturaleza, algo «integrado» en ellos y en los demás, de modo que no hacen suyo el objetivo de vencerla. Por supuesto, practican el autocontrol en algunos contextos, como debe hacer todo el mundo, pero piensan que cualquier proyecto de trascenderla está condenado al fracaso desde el principio. Esto los hace reacios a la pacificación, al desarme y la no-violencia en el estilo de vida; consideran que tales intentos constituyen un utopismo nada realista. Todavía quedan, también, unos pocos revolucionarios, marxistas o maoístas, que glorifican la ira y la violencia justificada.

Ahora, las personas religiosas occidentales poseen, efectivamente, códigos éticos, tanto en la Biblia judía como en los Evangelios cristianos. La ira propicia el incumplimiento de esos códigos, propicia asesinatos, calumnia, malicia. Por lo tanto, aunque piensen que serán salvados de las consecuencias de su ira por poderes superiores y más iracundos, tienen motivo y precepto para reprimir su ira, para moderarla, para intentar que no les arrastre a cometer actos pecaminosos. Como afirma la Biblia judía, en Salmos 4,5: «¡Temblad y no pequéis!». En Mateo 5:22, Jesús dice: «Pero yo os digo que todo el que se enoja con su hermano será reo de juicio».

Los laicos pierden el miedo a futuros infiernos mediante su doctrina del aniquilamiento en el momento de la muerte. Por lo tanto, se sienten más libres para desafiar a la autoridad, muestran audacia en sus intentos por corregir la injusticia y tienden a ser activistas humanistas. Ellos también poseen sus códigos éticos con derechos humanos, que tratan del respeto por la vida, las propiedades y el cuerpo de los demás, etc., y saben que esos códigos no se respetan cuando se está bajo el maleficio de la ira.

Pero de estos combatientes en el campo de la ira, ninguno tiene muchas posibilidades de ganar la batalla contra su formidable enemigo. Los religiosos no se esfuerzan lo suficiente como para desafiar a la ira, ya que creen que Dios la forja, lo ha hecho desde el principio y sería un pecado de soberbia pensar que pueden alterar su propia naturaleza. Asimismo, consideran que la ira puede ser buena cuando uno es justo. Los humanistas tampoco se esfuerzan mucho, ya que la consideran positiva, una energía natural para la propia conservación, una reacción neurobiológica que aumenta la posibilidad de supervivencia, y no creen que las acciones poco éticas tengan ninguna consecuencia perjudicial a largo plazo, ya que sostienen que serán aniquilados totalmente nada más morir. De modo que ninguno de estos ejemplos considera la ira algo muy mortífero y, por lo tanto, ninguno tiene muchas probabilidades de desarrollar un verdadero control sobre ella.

No es casualidad que esos dos ejemplos constituyan la mayoría de los portadores de la cultura occidental o con raíces en Occidente, moderna o posmoderna. Esta cultura es, de hecho, la más iracunda hasta el momento, en el sentido de que destaca por ser la cultura más violenta y militarista que ha aparecido hasta ahora en nuestro planeta. A pesar de la admiración que profesamos a Atenas, somos los espartanos de los espartanos, los romanos de los romanos, los imperialistas de los imperialistas. Nosotros, los estadounidenses, en particular, herederos –aunque continuemos negándolo– de los genocidios masivos de los americanos nativos y del holocausto de esclavitud que sufrieron los afroamericanos, hijos del Pentágono, manipuladores de armas nucleares, productores de agentes de guerra química y bacteriológica de una virulencia y en una cantidad sin precedentes, poseemos la cultura más militarista que se ha manifestado nunca en la madre Tierra. Engendramos culturas minimilitaristas por todo el mundo, dominadas por dictadores títeres, respaldadas por militares creados a nuestra imagen y semejanza y equipadas con nuestras armas de segunda mano, pero nunca les permitimos que alcancen las mismas proporciones que tenemos nosotros, el modelo que las ha inspirado.

No pretendo exagerar la imagen de la vertiente imperialista de Estados Unidos, destacada en grado sumo recientemente, desde que estuvo en peligro nuestra democracia. La clave aquí es que la ira, su perfil, sus hábitos de anclaje, su cultivo sistemático y su canalización hacia una violencia socialmente interna y militarmente internacional, forma parte de las disciplinas que se enseñan para ser miembro de nuestra cultura. A una edad muy temprana, vemos los dibujos animados del Correcaminos y de

Tom y Jerry que implacablemente van grabando violencia en nuestro sistema nervioso. En las escuelas estadounidenses, nos enseñan el Himno de Batalla de la República y cantamos nuestro himno nacional, que ensalza la guerra. Nos enseñan a leer y venerar la *Ilíada*, admirar las batallas de David y los israelitas contra toda clase de enemigos, impresionarnos con la descripción que hace Shakespeare de las hazañas violentas de los reyes ingleses y con las de César. Animamos a Hamlet para que se cargue a su tío y, en el cine actual, nos encantan Rambo, *Terminator*, *La guerra de las galaxias*, los soldados de *Alien*, Bruce Lee, *Kill Bill* y otros tantos. En el colegio, tenemos gimnasios y estadios, donde nos preparamos para juegos de guerra en miniatura, como fútbol americano, fútbol, baloncesto, hockey, lucha libre y competiciones de atletismo, cultivando habilidades de batalla tales como trabajo en equipo, ira dirigida contra el contrincante, carreras, jabalina, disco, etc.

Frente a este contexto de la cultura donde hemos crecido y que nos ha condicionado, por no decir que nos ha lavado el cerebro, deberíamos estar alerta ante una fuerte resistencia en nuestro interior a la idea de que la ira es un perjuicio, que conlleva consecuencias negativas. Con todo, debemos considerar una idea de esta naturaleza y explorarla con cuidado, si tenemos que liberarnos de la esclavitud colectiva e individual que nos supone esta cultura militarista de la ira, la violencia y la guerra.

Llegados a este punto, debemos enfrentarnos al argumento que se esgrime contra la autocrítica de la cultura militarista euroamericana; a saber, que «todas las culturas son iguales; China, la India, Irán, el sureste asiático, por no mencionar Corea, Mongolia, Japón y el Tibet; todas se han mostrado y se muestran igual de proclives a la violencia, sometidas a una larga historia de guerra, atrocidades y matanzas. ¿Por qué deberíamos sentirnos mal sólo porque seamos tan buenos conquistando el mundo en la época moderna y sigamos en cabeza en este momento?».

Esta crítica tiene cierto mérito, seguro. Si nos volvemos primero hacia Oriente, encontramos poemas épicos de batallas, como, por ejemplo, el *Mahabharata* (*c.* siglo IV a. C.), una obra treinta y cinco veces más larga que la *Ilíada* y repleta de Rambos bravucones parecidos a Aquiles, como Bhima, Drona y Arjuna. Contiene espantosas matanzas, traiciones y abusos a mujeres, además de sabios consejos y emocionantes historias. Encontramos obras de ciencia política con las estratagemas más maquiavélicas, como el *Arthashastra* (*c.* siglo III a. C), de Kautilya; encontramos cinismo; encontramos historias de guerras, batallas, usurpaciones, intrigas, asesinatos... En los *Veda* indios (*c.* 1500 a. C.) encontramos conmovedoras canciones de guerra, evocaciones del temible Dios-Padre Indra, portador de rayos, también conocido como Gramaghataka, el destructor de ciudades, y llamamientos a la victoria en la batalla. En la Escritura fundadora hindú, el *Bhagavadgita* (*c.* siglo III a. C), escuchamos a un dios monoteísta, Visnú, decir a Arjuna, el príncipe lleno de dudas, que debe combatir y matar a sus enemigos, porque es su obligación religiosa en tanto que rey y guerrero, y que es el propio Dios, en última instancia, quien es responsable de su muerte, por lo que no debe preocuparse. En China, el *Libro de las odas* y el *Libro de la historia* (*c.* siglo VI a. C) narran y celebran muchas batallas y guerreros. Y lo mismo sucede en todas las naciones de Asia si examinamos con atención sus documentos históricos. *Plus ça change!*

Así que en Oriente también encontramos el mismo sentido egocéntrico del egoísmo, arraigado en el mismo engaño que supone la sustancialidad del yo y que se expresa tanto en el deseo de hacer trizas al otro como en el miedo y la ira contra la amenaza que se percibe por parte de los otros para hacerle trizas a uno. En cuanto a las figuras de dios, están las formas de los dioses antiguos, tribales, muy violentos, enojados y temibles, como el famoso Indra de los *Veda*, que adopta una actitud sumamente iracunda contra los enemigos de los pueblos védicos, Iahwe (Yaveh), Zeus y Odín. También están formas monoteístas como Visnú y Shiva, que pueden manifestarse de muchas maneras. La forma de Visnú conocida como Mahakala («gran poder del Tiempo»), que aparece en el *Gita*, es en el fondo aterradora, colérica y destructiva, devoradora de mundos, y la forma de Shiva conocida como Bhairava («el aterrador») baila ante la destrucción del universo; ambas formas son exquisitamente destructivas y constituyen un símbolo muy poderoso de la ira. También están Durga y Kali, formas bajo las que se manifiesta la Gran Diosa Madre, quien acumula tanta ira y violencia como para provocar pesadillas en cualquier ser humano corriente, dios o demonio.

Asimismo, hay otro elemento en Oriente que sorprenderá a muchos, y es la corriente laica o materialista. En tanto que escuela filosófica, a los laicos indios se les conocía como Charvaka o Lokayata. No creían en la existencia de la mente y el alma –sólo existía la materia–, ni tampoco en una vida pasada o futura; y la conciencia personal es un acontecimiento aleatorio que surge de la complejidad en las disposiciones caóticas de los cuantos materiales. Uno de mis dichos favoritos que tenían en contra de los teístas era: «Si puedes enviar ofrendas a los dioses por mediación del sacrificio del fuego, ¿por qué entregarles sólo unas pocas cada vez? ¿Por qué no echar toda la cosecha, saltar luego uno mismo a la hoguera e ir al cielo todos juntos?».

Obviamente, la «iluminación» (la budeidad), como resultado evolutivo último de la perfección de mente y cuerpo por medio de un *continuum* de vidas, no constituía un objetivo creíble para ellos, ya que negaban cualquier tipo de causalidad coherente. Para ellos tampoco había pecado ni acciones evolutivas negativas, sólo estaba lo que pudieras disfrutar y lo que pudieras llevarte de esta vida, sin ninguna consecuencia negativa local: «¡Come, bebe y regocíjate, porque mañana tal vez mueras!». Aparte de sus filósofos, los practicantes de la tradición lokayata eran sofisticados urbanitas, acaudalados y poseedores de tiempo libre, y sus actividades pueden seguirse en la literatura del *Kamasutra*, la búsqueda sofisticada del placer, social y artístico, además de sexual, y en la literatura del *Arthashastra*, la literatura práctica de *realpolitik*, una teoría de gestión política implacable para maximizar la riqueza y el poder del Estado. ¿Verdad que estos laicos suenan mucho a «occidentales modernos»?

China y otros Estados asiáticos también poseían todas las variedades de cosmologías y actitudes sobre las emociones mencionadas anteriormente. Pero la India fue la más poderosa e influyente de todas las culturas asiáticas de la época antigua, debido a la riqueza y al tamaño relativamente mayores del subcontinente.

No obstante, en Oriente apareció un elemento distinto y fundamental en las corrientes culturales budistas, jainistas, yóguicas, hinduistas vedánticas y taoístas. Desarrollaron una «Ciencia Interior», una efectiva psicología profunda que entendió y condenó la relación de esclavitud mantenida con la ira, que se vinculó con una teoría biológica que descubrió la perspectiva de una vida múltiple y evolutiva. Enseñó caminos prácticos para vencer los venenos adictivos del engaño, la ira y el deseo, aquí y ahora, en esta preciosa vida humana y, de ese modo, disfrutar de libertad para uno mismo junto con la capacidad de entregar esos frutos a otros; para desmilitarizar a los individuos y las sociedades.

No es que este elemento esté totalmente ausente en Occidente. Por encima de las tendencias tribales y nacionalistas de Occidente, en Grecia, Egipto, Judea, Roma y los países del Norte existe una pequeña corriente dentro del cristianismo «místico» que propugna un universalismo pacífico, un autocontrol monástico basado en la crítica de la violencia y el militarismo que realizan las Bienaventuranzas, un modo de ver la Cruz misma como la crítica última de César, por una parte, y del «Dios Padre» tribal, por otra parte. Simplemente es que, en Oriente, entre sus propias tendencias tribales y nacionalistas continuadas, se da una tendencia relativamente más acentuada en forma de movimiento buda-ista o «Iluminación-ista». Fue un amplio movimiento de universalismo pacífico, basado en un autocontrol monástico arraigado en una institución mucho más antigua y extendida que floreció al menos siete siglos antes de que se iniciara siquiera el monacato cristiano. Debido a la relativamente mayor tolerancia de la sociedad india, este movimiento de la iluminación se extendió hasta casi convertirse en la corriente dominante y acabó emigrando a todas las sociedades asiáticas. Constituía una forma sistemática de educación y autodisciplina basada en una psicología como Ciencia Interior, que prometía y, por lo menos, parecía proporcionar al individuo una verdadera libertad, lejos de la ira, la codicia y el engaño, y a la sociedad, una verdadera no-violencia y una relativa paz.

En pocas palabras, para asombro de los historiadores occidentales, influidos por la óptica del militarismo, en Oriente hay constancia de una verdadera y progresiva desmilitarización de unas sociedades que, en otros tiempos, fueron tan violentas como las europeas o las americanas, y de haber logrado unos niveles de tranquilidad relativamente mayores. De hecho, historiadores imperialistas de siglos anteriores ya lo habían señalado, pero lo catalogaron de «decadencia», la circunstancia que les permitió conquistar Oriente, la prueba de su superioridad frente a los orientales inferiores, pasivos, no violentos, «ingenuos» y «afeminados». No obstante, en cualquier definición progresista de cultura o civilización, a quien se considera superior es precisamente a la dócil víctima, no al matón y violento conquistador.

El hilo argumental de este ensayo realiza el recorrido que se acaba de esbozar para regresar después a este punto, el núcleo del problema. ¿Qué podríamos considerar «ira» de la forma más realista? ¿Cómo actúa hasta esclavizarnos y arruinarnos la vida? ¿Es posible vencerla? En caso afirmativo, ¿cómo lograrlo? Una vez se ha vencido la ira, ¿podemos utilizar la energía que monopolizaba anteriormente y dirigirla hacia usos activistas, para imprimir nuevas formas a las cosas y los acontecimientos de maneras más positivas?

CAPÍTULO TRES

¿Qué es la ira?

Anger [ira] es una palabra inglesa, algo que debemos tener presente cuando leamos cosas sobre la ira en traducciones inglesas de las Biblias hebrea y griega, los textos griegos de Aristóteles o fuentes sánscritas o tibetanas; estamos leyendo una traducción inglesa de alguna otra palabra original. En el *Oxford English Dictionary* vemos que el término parece derivar del nórdico antiguo *angr*, que según dicen, significa «molestia», «aflicción», incluso «dolor». Esta etimología de la palabra inglesa nos anima a decir que la ira es dolor, surge de sentir dolor y se transforma en infligir dolor. A este respecto, el *Webster's Collegiate Dictionary* contiene un pequeño párrafo que resulta muy útil, después de dar la definición tercera y activa:

> [...] una intensa pasión o sentimiento de disgusto y, por lo general, antagonismo, alimentado por la sensación de agravio o insulto. Sinónimos: ira, cólera, furor, indignación, furia; significan agitación emocional producida por un intenso disgusto. «Ira», el término más general de este grupo, no sugiere, con independencia del contexto, un grado definido de intensidad ni una manifestación exterior; «cólera» es un término descartado por afectado, pero más intenso; «furor» implica una pérdida del control de la emoción y, con frecuencia, tiene la connotación de trastorno mental temporal; «furia», incluso más que «cólera», implica una pasión arrebatadora que raya en la locura; «indignación» hace hincapié en una ira profunda, intensa, justificada en ocasiones, suscitada por algo que uno considera mezquino, vergonzoso o algo por el estilo; «furor» puede implicar ira o indignación como su base emocional, pero también implica un deseo o intento de resarcirse o de castigar, o de vengarse.

Cito este fragmento al completo porque nos ayudará a comprender cómo las autoridades pueden diferir ante la ira y a ver cómo, muchas veces, los desacuerdos tienen que ver con la semántica y no con la esencia. En tanto que término más amplio de esta canalización emocional destructiva, no hay duda de que «ira» es el término adecuado para el sánscrito *dvesha*, el término clave allí, y también para el griego *orge*, empleado en los textos de Aristóteles y en el Nuevo Testamento. Es interesante observar que los diccionarios *Webster* y *Oxford English Dictionary* no mencionan «odio» como sinónimo y recogen «odio» como «intensa aversión», relacionándolo con los verbos «detestar», «aborrecer», «abominar», «repugnar». Por lo tanto, mientras que «odio» parece más una actitud conceptual o mental, «ira» parece catalogar un estado emocional.

La psicología budista emplea el término *dvesha* tanto para «odio» como para «ira» y, de hecho, en tanto que *klesha* («vicio fundamental» o «adicción emocional»), sería mejor traducir *dvesha* como «odio-ira», igual que hacen los tibetanos con *zhe dvang*, donde *zhe* connota aversión intensa y *dvang*, agresión enérgica. El hecho de que el odio y la ira estén tan separados en inglés nos permite ver de inmediato cómo cada uno de los términos puede dividirse en dos tipos, uno positivo y otro negativo. Así, el odio positivo es sentir aversión por lo que es en verdad malo y desagradable, una actitud perfectamente sana. El odio negativo, en cambio, es sentir aversión por lo que es bueno o agradable con otro estado de ánimo o en otro contexto. La ira positiva constituye un enérgico impulso mental para destruir lo que impide alcanzar lo que es bueno, mientras que la ira negativa es un enérgico impulso mental que lleva a destruir lo que es bueno. Sin entrar, de momento, en definir lo que es bueno y lo que es malo, esta descripción no se complica excesivamente.

Aristóteles define la ira como una «emoción», de un modo relativamente poco condenatorio, como:

> [...] impulsión con pena a dar un castigo manifiesto por un desprecio manifiesto de algo que le atañe a uno mismo o a los suyos y que no merecía tal desprecio. Si es tal cosa la ira, es necesario que el iracundo se enoje siempre contra un individuo particular [...]; y a toda ira sigue cierto placer, causado por la esperanza de vengarse; puesto que es placentero creer que se va a alcanzar lo que se desea [...]. Por eso se ha dicho bien sobre la ira [*Ilíada* XVIII 109ss.]:
> «que mucho más dulce que la miel que destila en los pechos de los humanos crece»,
> pues la acompaña también cierto placer, por eso y porque se pasa el tiempo vengándose con el pensamiento, y la imaginación que viene entonces causa placer, como la de los sueños. (*Retórica*, trad. cast. pág. 96, citando *Ilíada*, XVIII).

El filósofo griego, preceptor de Alejandro Magno, no está pensando en la ira como una clase de «pecado», mortal o de otro tipo, sino que la ve como una respuesta emocional y una actitud mental perfectamente normales. Aristóteles nos da una pista sobre la ira útil con su manera de relacionarla con el «temor», que define como «pena o perturbación resultante de la representación de un mal inminente, bien dañoso, bien penoso; pues no todos los males se temen [...], sino los que significan penas grandes o daños y esto si no parece lejano, sino inminente [...]. Si, pues, eso es el temor, es forzoso que sean temibles las cosas que parecen tener una gran potencia de destruir o de causar daños que produzcan una pena grande» (*Retórica*, trad. cast. pág. 107). Afirma que la ira puede disipar el temor y proporcionar confianza personal para enfrentarnos a lo que percibimos como una amenaza, cuando, de no ser por ella, nos quedaríamos paralizados por el temor. La psicología budista no parece relacionar la ira con el temor con tanta claridad; de hecho, resulta sorprendente que no la consigne en sus estudios anatómicos de las emociones y actitudes recopilados en la literatura conocida como *Abhidharma* o «Ciencia Clara».

En la Biblia judía, la persona más iracunda parece ser el propio Dios. Parece lo bastante feliz como para crear el mundo y situar a Adán y Eva en el Jardín del Edén junto con todos los animales. Pero cuando la serpiente logra que Eva convenza a Adán para comer la fruta prohibida, Dios pierde los estribos. Maldice a la serpiente y la condena a no tener patas; maldice a Eva y la condena a sufrir dolores de parto y vivir subordinada al hombre; maldice a Adán y lo condena a la muerte final e, incluso, maldice a la Tierra, de la que el hombre comerá con muchos esfuerzos. Y acaba por fin expulsando a todos del Edén. Tiempo después, pierde los estribos con Caín por haber matado a su hermano en un arrebato de celos y no tarda en arrepentirse de haber creado a los seres humanos. Aunque se les llame «hijos de Dios» y sean muy parecidos a Él, decide destruirlos a todos, salvo a Noé, que es demasiado simpático, de modo que le permite escapar con familia, amigos y animales. Posteriormente, Dios pierde los estribos con los seres humanos por construir una gran torre en Babel, por lo que la destruye y los divide en grupos dispersos que hablan lenguas distintas. Dios se porta bien con Abraham durante bastante tiempo, hasta que pierde los estribos con Sodoma y Gomorra y destruye las ciudades. Luego, a Isaac, Jacob y José les van bien las cosas, aunque tienen que trasladarse a Egipto para sobrevivir a una hambruna. La siguiente generación está esclavizada durante un tiempo, hasta que nace Moisés y, finalmente, los conduce a todos a la libertad.

Con Moisés, Dios se desmanda y le pide que reclame la libertad al Faraón; luego, endurece el corazón del Faraón, se consiguen algunas concesiones, la situación vuelve a empeorar, la emprende con los egipcios, mata a su primogénito, los atrae hacia el mar y destruye sus ejércitos. Una vez han cruzado el mar, conduce a los judíos a la tierra prometida y los ayuda a eliminar a cualquiera que se les ponga por delante, más o menos. Y así sucesivamente.

En resumen, Dios se enfada con los hombres una y otra vez. Se enfada en nombre de Israel y, otras veces, con Israel. Es un verdadero castigador. A cualquiera que estuviera adoctrinado por estos textos sagrados en la imagen de este Dios como modelo de realidad última personificada podría perdonársele el pensar que la ira constituye una energía y una manifestación excelentes, siempre que uno sea lo bastante fuerte como para superar la enemistad que esa ira suscita en los demás.

CAPÍTULO CUATRO

La renuncia a la ira: la vía occidental

Cuando llegamos a Jesús, en cierto modo un rabino judío arquetípicamente místico, éste representa la ira como una indignación justificada con bastante fuerza en sus enseñanzas y su desafío a las clases dirigentes romanas y judías de la época. Pero entra en otra esfera en lo que sería el núcleo de sus enseñanzas, las «Bienaventuranzas» o el Sermón de la Montaña, como recogen los textos de Mateo (no podemos decir que algo sea, con toda seguridad, el núcleo de las enseñanzas de Jesús, ya que todos los Evangelios se escribieron décadas después y fueron codificados posteriormente por los dirigentes de la Iglesia, de modo que es imposible estar seguro). En cualquier caso, las enseñanzas del Sermón de la Montaña se asemejan en gran medida a las enseñanzas budistas de siglos anteriores, mientras que tanto la vida del Salvador como su sacrificio mesiánico son presentados como el cumplimiento de las predicciones de la Biblia judía sobre el Mesías judío.

¿Qué enseña el Jesús de Mateo en el núcleo de su doctrina? Sus enseñanzas sobre las causas fundamentales de las actitudes de la gente, ¿qué información nos aportan sobre la ira en la tradición cristiana? La principal aportación de Jesús a este respecto fue cambiar por completo el pensamiento mundano sobre el poder y el éxito. No bendice a los ricos, sino a los pobres; no a quienes estén en buena compañía, sino a los afligidos; no a los soberbios, sino a los mansos; no a los crueles, sino a los misericordiosos; no a los conquistadores, sino a los pacificadores; no a los dominadores, sino a los perseguidos. Los limpios de corazón, insiste, alcanzan y disfrutan el reino de los cielos. Declara que respeta la antigua ley de Dios y que no la incumple. Pero va más allá de eso. Tal vez el siguiente pasaje sea el más importante para nuestro contexto:

> Habéis oído que fue dicho a los antiguos: «No cometerás homicidio»; y «cualquiera que cometa homicidio será reo de

> juicio». [Por supuesto, esto es la antigua ley mosaica.] Pero yo os digo que todo el que se enoja con su hermano será reo de juicio. Cualquiera que llame a su hermano «necio» será reo ante el Sanedrín; y cualquiera que le llame «fatuo» será expuesto al infierno de fuego (Mateo, 5:21-22).

En este fragmento Jesús imparte la difícil enseñanza de la derrota de la ira. No está satisfecho con el antiguo: «Temblad y no pequéis». A la luz de lo que considera posible para los humanos, no basta con que éstos se limiten a refrenar sus acciones externas; quiere que se liberen de la ira. Les advierte de que, tan sólo con que la ira esté presente en la mente, ya basta para que sobrevenga la condena. Y una palabra pronunciada al calor de la ira puede convertirse en creadora del infierno. Igualmente, prosigue enseñando la interiorización de los distintos mandamientos de cuerpo, palabra y mente, y exigiendo que los pecados y los vicios sean combatidos y superados en la mente, no sólo en la acción externa.

Prosigue afirmando en otro pasaje muy pertinente para la ira, que ésta debe transformarse primero en tolerancia y, después, en compasión y amor:

> Habéis oído que fue dicho a los antiguos: «Ojo por ojo y diente por diente». Pero yo os digo: no resistáis al malo. Más

> bien, a cualquiera que te golpea en la mejilla derecha, vuélvele también la otra. Y al que quiera llevarte a juicio y quitarte la túnica, déjale también el manto. A cualquiera que te obligue a llevar carga por una milla, ve con él dos. Al que te pida, dale; y al que quiera tomar de ti prestado, no se lo niegues. Habéis oído que fue dicho: «Amarás a tu prójimo y aborrecerás a tu enemigo». Pero yo os digo: Amad a vuestros enemigos y orad por los que os persiguen, de modo que seáis hijos de vuestro Padre que está en los cielos, porque él hace salir el sol sobre malos y buenos, y hace llover sobre justos e injustos. Porque si amáis a los que os aman, ¿qué recompensa tenéis? ¿No hacen lo mismo también los publicanos? Y si saludáis solamente a vuestros hermanos, ¿qué hacéis de más? ¿No hacen eso mismo los gentiles? Sed, pues, vosotros perfectos, como perfecto es vuestro Padre que está en los cielos.
>
> (MATEO, 5:38-48)

Estos pasajes resultan asombrosos para los budistas: esbozan precisamente la progresión que, como veremos más adelante, llevan enseñando los maestros clásicos de la tradición durante dos mil quinientos años. Primero, uno reconoce que la ira albergada sólo en la mente supone una especie de homicidio interior, un asesinato virtual de quien te haya suscitado la ira. Por eso, tal vez tanto o más que por el asesinato físico, externo, eres «reo de juicio». Esto significa que, aunque no se haya cometido realmente un acto homicida y no haya sido descubierto socialmente y castigado, aunque no exista un «Dios» omnisciente que juzgue y castigue, uno ha cometido un «acto evolutivo» negativo o «karma» en la mente, y la huella que ha dejado ese acto en los propios *continua* físicos y mentales ha remodelado el ser en una dirección evolutiva negativa, que traerá consecuencias nada gratas en el futuro. Se ha reforzado el «músculo asesino», lo cual hace más probable que uno piense en «matar» o vuelva a matar físicamente, lo que suscita más odio en quienes buscan venganza y una mayor propensión a provocar a los demás. Esta situación genera más posibilidades de que uno acabe, a su vez, siendo asesinado. Este *continuum* negativo se prolonga formando un círculo vicioso sin fin y una vida tras otra se va entrecruzando con otros seres relacionados contigo en una vida tras otra, lo que acaba por generar una *gehenna*, un «infierno de fuego».

Cuando uno se da cuenta de la absoluta pérdida que supone matar o, incluso, pensar en hacerlo presa de la ira, se invierten los valores mundanos. Uno se da cuenta de que la tolerancia, la mansedumbre y la dulzura constituyen una ventaja evolutiva suprema, que rompe el círculo vicioso de dominio mutuo y desarrolla un círculo virtuoso de vulnerabilidad y tolerancia mutua crecientes. Entonces uno está preparado para superar la ley de la justicia equitativa, el ojo por ojo, y la ira se limita en justa proporción con el agravio y se aprende a tolerar el agravio, incluso a buscarlo, lo que genera unas impresiones kármicas de afabilidad y dulzura cada vez más potentes. Se empieza a vivir cada vez más en el «reino de Dios», la esfera de fuerza absoluta, de imperturbabilidad, donde nada puede herirte gracias a la máxima flexibilidad más allá de la vida y a la dicha más allá del dolor y el placer. Esta es la esfera donde uno no sólo puede amar a sus amigos, sino también, y en igual medida, a sus enemigos, y desea que todos sientan la misma felicidad, en el fin último del círculo virtuoso de entrega mutua, no sólo más allá de los infiernos de fuego, sino también de los cielos temporales de placer superficial, en la dicha suprema que procura la libertad más allá de dualidades como el yo y el otro.

Dios no acepta la naturaleza desesperada de la lucha contra la ira y los demás pecados capitales, vicios adictivos o pasiones viciosas. No respalda a algunos intérpretes tardíos de la cristiandad que proclaman su irremediable naturaleza de pecadores y piensan que, tras no dejar de pecar durante toda la vida, pueden limitarse a creer y recurrir a Jesús, que los salvará de las consecuencias. No, Jesús les dice que deben llegar a ser perfectos; de hecho, tan perfectos como Dios Padre. Exige que alcancen la iluminación, no sólo que sean fieles. Y lo subraya de nuevo en otro sorprendente pasaje algo posterior, que debería hacer sentar la cabeza a esos supuestos seguidores de Cristo, totalmente entregados, que piensan que pueden matar, robar, mentir, insultar, acaparar riquezas y odiar en nombre de Jesús y, después, recibir el perdón sólo pronunciando su nombre:

> No todo el que dice: «Señor, Señor» entrará en el reino de los cielos, sino el que hace la voluntad de mi Padre que está en los cielos. Muchos me dirán en aquel día: «¡Señor, Señor! ¿No profetizamos en tu nombre? ¿En tu nombre no arrojamos demonios? ¿Y en tu nombre no hicimos muchos milagros?». Entonces yo les diré: «Nunca os he conocido. ¡Apartaos de mí, obradores de iniquidad!» (Mateo 7, 21-23).

Jesús insiste en que sólo la fe, la pertenencia confesional, el partidismo nominal, la participación confesional, sin acción positiva de mente, palabra y cuerpo, no bastarán para entrar en el reino, para liberarse de los fuegos de la ira, el torrente del deseo, la jaula de la locura. Esto excluye a aquellos cruzados que matan o incitan a matar en nombre de Jesús, aquellos capitalistas santurrones que exprimen a la gente para obtener beneficios y acumular riqueza y, luego, buscan la redención haciendo donativos a la Iglesia de Jesús, aquellos que se deleitan en cloacas de lujuria, odio y frívola locura sin hacer ningún intento de controlarse o liberarse y, luego, pretenden librarse de las consecuencias solicitando la ayuda de la autoridad omnipotente. No; Jesús les dice que «sean perfectos», igual que lo es Dios, que seguir las enseñanzas para derrotar a la ira y otros vicios supone construir la casa sobre cimientos sólidos y que no hacerlo es como construirla sobre un terreno arenoso.

El gran filósofo estoico Séneca (*c.* 3 a. C.-65 d. C.), contemporáneo de Jesús, escribió un brillante ensayo sobre la ira, a la que define como «la más espantosa y enloquecida de las emociones». Afirma que «unos sabios varones dijeron que era "una breve locura", puesto que al par de ella no tiene señorío de sí misma, arrumba todo decoro, prescinde de todo deber social, es obstinada y pertinaz en sus empeños, se cierra a toda razón y consejos, se desbarata por causas fútiles, es ciega para discernir lo que es verdadero y lo que se justo y se parece a las ruinas que, sobre aquello mismo que oprimieron, se derrumban» (Séneca, *Ensayos políticos y morales*, en *Obras completas*, trad. cast., pág. 47). Y Séneca se pone más elocuente incluso:

> [...] peste alguna costó más cara al linaje humano. Verás matanzas, envenenamientos, acusaciones mutuas de delitos, destrucción de ciudades, asolamiento de naciones enteras y caudillos puestos a la venta en subasta civil; el fuego llevado, metido en el sagrado recinto doméstico, y el incendio, no ya cohibido en el cerco de las murallas, sino campeando suelto e insolente, e iluminando espacios anchurosos con sus reflejos siniestros. Repara cómo de las más nobles ciudades apenas se

> rastrea el lugar de su asiento; la ira las derrotó. Cata sin moradores las vastas soledades de los desiertos; la ira las desoló. Pondera los grandes capitanes que dejaron memoria de sí y ejemplo de un destino fatal; a éste la ira le cosió a puñaladas en su recámara; a aquél le alcanzó en la intimidad de su cenáculo; a aquel otro le despedazó en el tribunal delante de toda la asamblea hacinada en el foro; al otro le mandó dar la sangre a manos de un hijo parricida; al otro, abrióle el cuello regio por una mano servil; al otro en una cruz despedazó los miembros. Y todavía no expresé más que suplicios individuales: ¿qué sería si, desdeñando estos casos singulares en quienes uno a uno se encandeció la ira, holgara de mostrarte degüellos de asambleas enteras y muchedumbres pasadas a cuchillo por la soldadesca desmandada y pueblos en masa exterminados? (Séneca, trad. cit., págs. 48-49)

Séneca quiere dejar claro que la ira no tiene nada de bueno y es un estoico, no un piadoso cristiano con ideas sobre los pecados capitales, ni tampoco un budista en busca de la libertad. Al definir la ira, Séneca cita la definición de Aristóteles con aprobación, como «un ardiente deseo de devolver mal por mal» (Séneca, trad. cit. pág. 49). La distingue de la mera ferocidad, agresividad, excitación y desenfreno, que, según afirma, también se dan en los animales. Insinúa, por lo tanto, que la ira, aunque es una emoción, posee cierta dosis de «razón» humana, que niega a los animales. Esto contradice su afirmación anterior, que sostenía que la ira es una locura, una emoción que se cierra al razonamiento, pero su intento de diferenciar la ira de un mero impulso de ferocidad o agresividad recuerda la definición budista, según la cual la ira es una adicción emocional con un centro conceptual, no una simple energía emocional en bruto. Séneca rechaza la «naturalidad» de la ira, ya que la naturaleza humana es social, está hecha para la cooperación, la tolerancia y la amabilidad, y la ira supone, por consiguiente, una violenta distorsión de esa naturaleza. Rechaza el argumento según el cual quienes causan agravios deben ser castigados airadamente –por lo tanto, dar un buen uso a la ira–, ya que el castigo resulta mucho más eficaz cuando, llegado el caso, se inflige sin ira. Cita la hipótesis, también avanzada por Aristóteles, de que la ira resulta útil, ya que es necesaria para desterrar el miedo que surge al enfrentarse a una amenaza y nos proporciona confianza y energía para defendernos o atacar preventivamente e, incluso, faculta al intelecto para ver las cosas con claridad. Séneca rechaza estas ideas esgrimiendo el argumento de que la ira nunca puede servir como instrumento de la razón y, por lo tanto, no puede aplicarse con fines útiles de forma eficaz, ya que es propio de su naturaleza adueñarse de la razón y hacer caso omiso de todas las peticiones de moderación. La compara con la caza: una vez que se ha lanzado la flecha, es imposible fijar un nuevo objetivo, debe

Yidam alado, siglo XVIII.

Heruka alado, siglo XVIII.

Vajrabhairava, siglo XVIII.

Decorado de baile con el rostro de Mahakala, siglo XVII.

Guru Drakpo o «el Maestro iracundo», siglo XIX.

Bonpo Dharmapala, siglo XVIII.

Tablero talismán protector con tortuga amarilla como emanación de Manjushri, siglo XIX.

Manjushri, siglo XVIII.

seguir su trayectoria. Se descartan los ejemplos de personas que refrenan la ira en acción por ser más bien casos en que la ira pierde ímpetu y la razón se reafirma posteriormente.

A continuación, Séneca saca a colación distintos tipos de casos en que puede considerarse oportuna la indignación justificada: cuando estás en guerra, cuando son asesinados tus seres queridos, cuando tu país es objeto de un ataque, cuando ves a gente que comete fechorías en general. Séneca, igual que un budista, sostiene que en todos esos casos, la acusación, la defensa, la prevención y el castigo alcanzan mejor sus objetivos sin enfurecerse, puesto que esa ira siempre complica el hacer bien las cosas. Lo que se necesita en estas situaciones es valor, justicia, resistencia y sabiduría; tales virtudes no tienen necesidad de extraer su fuerza de emociones agresivas como la ira. Citando a Aristóteles (tal vez injustamente) como un autor que compara la ira con un arma útil para una guerra justa o unos combates nobles, Séneca rechaza la utilidad del arma; es una espada quebradiza o una lanza con dos puntas, una dirigida hacia quien la maneja. Aporta una observación propia de las artes marciales al afirmar que la energía de la ira no es regular ni fiable; ataca de un modo violento al principio, pero pierde ímpetu rápidamente y no puede continuar la lucha. Da el ejemplo de una serpiente que inocula todo el veneno en el primer mordisco y, después, resulta inofensiva. Luego están quienes consideran la ira como algo magnífico, que confiere «grandeza de espíritu» (Séneca, trad. cit., pág. 61). Responde que no confiere grandeza, sino sólo algunas veces el estado de «obesidad funesta» (Séneca, trad. cit., pág. 61). Y me encanta el pasaje final de su primer libro, que también menciona algunos de los demás pecados capitales:

> Nada hay, pues, de grande o noble en la ira, ni aun cuando parece vehemente y menospreciadora de los dioses y de los hombres; nada hay en la ira de noble. Y si a alguno le pareciere que en la ira hay grandeza de espíritu, piense igualmente que la hay en la falta de moderación que quiere hollar el marfil, vestirse de púrpura, cubrirse de oro, transportar las tierras, cerrar los mares, despeñar los ríos, hacer pensiles de los bosques. Parézcale también magnánima la avaricia: se echa sobre montones de oro y plata y cultiva campos extensos y la sola inspección de cada uno de sus mayordomos tiene más dilatados términos que los que los cónsules sorteaban. Parézcale también grandeza de ánimo la lujuria que pasa a nado los freos, que castra legiones de mancebos, que con desdén de la muerte pone a la esposa bajo el puñal del marido. Parézcale, asimismo, magnánima la ambición: no se contenta con los honores anuos y, si fuese hacedero, quisiera con un solo nombre llenar los fastos y henchir de sus títulos el universo mundo. No importan demasiado los lindes hasta donde se prolonguen y extiendan todas estas pasiones; de todas ma-

> neras son angostos, son ruines, son bajos. Sólo la virtud es alta y soberana, y no hay nada grande que, a la vez, no sea apacible (Séneca, trad. cit., pág. 62).

Este autor también tiene un interesante análisis de cómo surge la ira:

> No hay duda de que lo que mueve la ira es la idea de una ofensa inferida, pero tenemos que averiguar si sigue inmediatamente a esta idea y estalla sin intervención del alma o se mueve con su connivencia. Nos complacemos en pensar que la ira no se atreve a nada sin la aprobación del alma, porque tener la idea de una ofensa inferida y desear su venganza y asociar entrambas cosas es, a saber, que uno no debió ser ofendido y que debe vengarse, no es propio de un ímpetu nacido sin el concurso de nuestra voluntad. El movimiento instintivo es simple; es compuesto el otro y comprende varios elementos: entendió algo, se enojó, condenó, quiere vengarse; este complejo de cosas no es posible si el alma a quien afectaron no da su asentimiento (Séneca, trad. cit., pág. 63).

Será importante recordar esto, el analizar la ira que resulta mortífera, el pecado mortal, el vicio fundamental o adicción emocional, como algo que no sólo es una mera emoción, en el sentido de un impulso inconsciente, sino la consecuencia de la combinación de una emoción surgida por una experiencia dolorosa y un reconocimiento conceptual de la fuente del dolor y una decisión de seguir el impulso que lleva a atacar la fuente. Como observó Aristóteles, guarda una estrecha relación con el miedo, la anticipación del dolor, ya que el miedo debilita la voluntad de soportar el dolor o tomar medidas para evitarlo y, de ese modo, paraliza la decisión de actuar, haciendo que, para la persona asustada, parezca necesario explotar de un modo irracional para conseguir lo que no puede hacer de un modo racional. Tal vez por eso los aristotélicos militaristas conciben la ira como algo necesario para la lucha y la guerra, algo parcialmente positivo, ya que los soldados estarían demasiado atemorizados para lanzarse a la batalla si actuaran de un modo racional, por lo cual deben tener un arrebato de ira para silenciar la certeza de que están incurriendo en un error y atacar de manera poco razonable a pesar de su miedo razonable. Pero Séneca asegura, como hacen otros pensadores clásicos, que el valor es la fuente de fuerza que nos disipa el miedo. Esto implica que la ira es una energía racional, un fuego, un calor, un poder que surge de la buena intención de defenderse a uno mismo o defender a los seres queridos, al país o los principios.

Séneca también examina la terapia para la ira, aunque abandona pronto el tema para volver a los horrores de esta emoción. Parece que quiere rechazar la idea según la cual la ira tiene algo positivo y, al mismo tiempo, considera que decidir que es negativa constituye el primer e indispensable paso para deshacerse de ella. Resulta interesante para nuestros fines que coincida con el Jesús de Mateo (no pudo acceder a él en ningún texto, aunque fueran contemporáneos, porque el Evangelio de Mateo no fue escrito hasta cinco años después de la muerte de Séneca) en que el ser humano es perfectible (en la creencia estoica de que la razón humana participa de la razón pura de Zeus), por lo cual la ira puede derrotarse a base de disciplina y comprensión.

Poco tiempo después, nos encontramos con Plutarco (finales del siglo I), consciente de la posición de Séneca y bastante en consonancia con ésta, aunque quizá menos trascendental que este último o que Jesús. Plutarco define la ira, refiriéndose de un modo indirecto a Zenón, como:

> [...] una especie de conglomerado de semillas emocionales. Contiene elementos extraídos del dolor, el placer y la arrogancia; posee el placer satisfecho del rencor y también obtiene de éste su método de confrontación, en el sentido de que evitar su propio sufrimiento no es el objetivo de sus esfuerzos, sino que acepta dañarse a sí misma mientras destruya a la otra persona; y uno de sus ingredientes es la forma de deseo más desagradable de todas, el anhelo de herir a otro (Plutarco, 1992, pág. 198).

Al recorrer la literatura occidental, persisten todos estos temas, no solamente en los escritores cristianos, sino también en los clásicos. Algunos son partidarios de la escuela aristotélica y dejan un sitio para la «ira justificada», pero otros, no. San Agustín no la acepta de ningún modo: «Vale más impedir la entrada a la ira justa o razonable que admitirla, por muy pequeña que sea. Una vez admitida, sólo se la puede expulsar con dificultades. Entra como una ramita, pero, en un abrir y cerrar de ojos, crece y se convierte en una enorme viga» (B. Schimmel, 1997; pág. 91 [citando a san Francisco de Sales, quien, a su vez, cita a san Agustín]).

Chaucer nos proporciona un prolijo análisis de todos los «pecados mortales» donde utiliza la familia de palabras «ira», «odio», «cólera», «furia», «rabia», «violencia», «revanchismo», «malicia», «rencor». Explica que un pecado «capital» o «mortal» es cualquier acto que uno ama más que a Dios, a diferencia de un pecado «venial», que se comete por no amar a Dios lo suficiente. Clasifica los pecados por orden de importancia, empezando por la soberbia (es decir, quererse a uno mismo más que a Dios) y siguiendo con la envidia (quererse a uno mismo más que al prójimo), la ira (odiar a Dios o al prójimo), la pereza (holgazanería abatida, ya que el odio llega a afectar a uno mismo), la avaricia (idolatrar las pertenencias), la gula (idolatrar la comida) y la lujuria (idolatrar el sexo). El camino para liberarse de estos pecados capitales se inicia con un sincero arrepentimiento y continúa con una búsqueda activa de las virtudes contrarias, que son, respectivamente: humildad; amar a Dios y al prójimo; mansedumbre, paciencia y tolerancia; fortaleza, fuerza, magnanimidad, fe y esperanza; misericordia, piedad y caridad; abstinencia, templanza, vergüenza y moderación; continencia y castidad. Chaucer es bastante específico en la metodología del arrepentimiento al descomponerlo en tres partes: contrición de corazón, confesión de palabra y expiación de obra. Analiza la contrición dividiéndola en seis componentes: (1) conciencia o penitencia; (2) amor propio, deseo de no ser adicto al pecado; (3) temor a las consecuencias infernales; (4) pesar por la bondad perdida; (5) recuerdo de la Pasión de Cristo; (6) esperanza de perdón, el don de la gracia y la gloria del cielo. La confesión implica cuatro condiciones: (1) confesarse con profunda amargura de corazón; (2) hacerlo con prontitud; (3) hacerlo de forma exhaustiva; (4) hacerlo sin decir mentiras para ocultar el pecado. La expiación se consigue con limosnas y ascetismo corporal.

En cuanto a la ira, Chaucer sostiene que existe una ira positiva, el celo por el bien cuando uno se irrita contra la maldad, que nace de la benignidad, carece de amargura y no se dirige contra el hombre, sino contra las obras del hombre. La ira negativa es de dos clases: ira repentina, cuando arde la sangre, un pecado que sólo es venial, por ser una súbita pérdida de control de la razón; e ira mortal, totalmente aviesa, con premeditación maliciosa y derivada de la maldad de corazón, que es, a su vez, el horno demoníaco, alimentado por la soberbia y el deseo de venganza. El antídoto para la ira es la paciencia, que adopta cuatro formas: paciencia ante las agresiones verbales, ante los perjuicios que sufren tus propiedades, ante el sufrimiento ocasionado por daños corporales, y ante la esclavitud o los trabajos excesivos.

CAPÍTULO CINCO

La renuncia a la ira: la vía budista

Hay muchos más análisis de la ira en la amplia biblioteca de psicología occidental recopilada por los monjes cristianos y, posteriormente, por los moralistas académicos. Resulta sorprendente lo minuciosos que son y hasta qué punto recuerdan a la psicología budista del *Abhidharma*. El análisis budista de las causas del sufrimiento no está orientado hacia la fe en un Dios omnipotente, ya que tras el encuentro que mantuvo Buda con el Dios «Creador» (Brahma, como lo llamaban en la India en aquellos tiempos), aquél informó de que dicho Dios no era ni omnipotente ni omnisciente y que, después de todo, tampoco había creado el universo.

Buda proclamó que la causa fundamental del sufrimiento era la adicción mental al engaño, la ignorancia o el desconocimiento. Ese engaño consistía en la percepción errónea de uno mismo como absoluto, independiente, una cosa en sí mismo, que se corresponde con percibir de manera errónea que todo lo demás posee una esencia o sustancia independiente o absoluta. Este engaño profundamente arraigado adopta formas instintivas y conceptuales, y causa sufrimiento al colocar a la persona en la imposible situación de ser un yo fijo, absoluto e intrínsecamente real frente a un universo real, lo que de modo inevitable supone salir perdiendo ante ese universo de seres y cosas por la enfermedad, el envejecimiento, la muerte, el dolor, la pérdida, el tormento y demás. En realidad, este engaño fundamental de adicción a uno mismo se acerca mucho al pecado capital de soberbia («amarse a uno mismo más que a Dios») si Dios se interpreta como la inmensa energía de la vida.

Pasaré a explicar seguidamente cómo la «iluminación» denominada «budeidad» se entiende como la superación del engaño. El Buda descubrió en su interior la engañosa pauta de hábito que provoca la absolutización del yo en los niveles instintivo e intelectual y aceptó el reto de comprobar si él existía realmente de ese modo sustancial, único e independiente. Analizó minuciosamente su complejo mente-cuerpo con una intensa percepción crítica y una concentración centrada en un objetivo, y acabó saliendo del engaño al no descubrir ningún yo absoluto en su interior. Seguidamente eludió cosificar ese no-descubrimiento tomando el yo por una mera nada, como han hecho algunos pensadores materialistas modernos. En lugar de eso, entendió que las ramificaciones de ese no-descubrimiento implicaban la absoluta relatividad del yo, su interconexión total, su condición ilusoria o virtual, etc. Esto lo liberó y le permitió desarrollar su yo relativo y virtual como una obra viviente en construcción, realmente sin límites en cuanto a horizontes de excelencia, con un tiempo infinito para la evolución.

Podría decir más cosas, ya que esto constituye la esencia del gran avance científico de Buda y su logro evolutivo personal, pero por suerte lo que he explicado ya transmite la idea básica. Resulta fundamental para comprender la conquista y posterior transformación de la energía que alberga la ira.

La segunda adicción mental que se desprende del desconocimiento o engaño fundamentales es la adicción al deseo, que comprende la lujuria, la avaricia y la gula. En cuanto uno siente que es un yo solo, único y separado, enfrentado al universo, siente el deseo de incorporar a uno mismo tanto universo como sea posible para igualar las posibilidades, por así decirlo, por muy vano que resulte el intento. ¡Imagínese lo que supone intentar tragarse el universo entero!

La tercera adicción mental que acompaña a este estado de engaño y descontento es la adicción a la ira: ira hacia el universo por no querer incorporarse a uno mismo; ira surgida del miedo a que el universo acabe engulléndole a uno; ira que desea destruir para siempre el universo contrario, como defensa del yo engañoso.

Estos tres, engaño, deseo e ira, son los tres venenos que se encuentran en todos los tipos de listados psicológicos. A continuación viene la soberbia, que es la preocupación por uno mismo surgida del engaño que supone la absolutización del yo; y, luego, la vieja y conocida envidia, el resentimiento por la felicidad o la suerte de los demás.

En otro listado de seis adicciones fundamentales que aparece en los sistemas de la primera Ciencia Interior (*Abhidharma*), tras el engaño, el deseo, la ira y la soberbia, las dos últimas adicciones son las opiniones fanáticas y las dudas. Estas adicciones cognitivas describen los hábitos de nuestra mente engañada, ya que la primera consiste en estar obsesionado con una fe, una convicción o una ideología rígida, absolutista y dogmática, y la segunda, en regodearse en una perplejidad confusa, sin ser capaz de centrar la mente en ninguna dirección, sin sentirse libre de orientaciones. La primera entorpece la investigación crítica y la segunda impide la nueva percepción liberadora.

Al centrarnos más concretamente en la ira fundamental, vemos que el análisis la sitúa como un sentimiento surgido del engaño que supone la separación absoluta yo-otro, lo que la convierte en una adicción emocional y no en una emoción en bruto. Esto recuerda a la opinión de Séneca según la cual la ira sólo está presente en los seres humanos, ya que la cólera animal está desprovista de cualquier componente conceptual y la verdadera ira siempre es emoción combinada con cálculo conceptual encaminado a una destrucción específica.

Tras las seis adicciones fundamentales, hay veinte adicciones derivadas (aunque otros sistemas de Ciencia Interior postulan cincuenta, incluso ciento ocho; por lo tanto, todos esos sistemas deben entenderse como inventarios heurísticos y no dogmáticos). En el sistema más conocido, que establece las ramificaciones de las raíces de la ira, hay cuatro adicciones derivadas: agresión, afán de venganza, malicia y violencia. Las cuatro están suscitadas por la ira: la primera se da cuando la ira incita a la mente, la palabra o el cuerpo a atacar a los demás; la segunda es el ansia de venganza contra el odiado enemigo; la tercera, el deseo de hablar de modo hiriente; y la cuarta, la tendencia general a causar daño a los demás.

Finalmente, existe otro análisis que trabaja con el esquema quíntuplo, transmitido normalmente de un modo esotérico, por lo menos hasta una época reciente, donde las adicciones fundamentales acaban derrotadas y sus energías se transforman en las energías básicas de una vida liberada. La raíz causante de estas adicciones fundamentales es el engaño. Cuando un engaño resulta destruido gracias al entendimiento y la sabiduría, las restantes energías adictivas (el deseo, la ira, etc.) también pueden transmutarse en sabidurías, unas energías puras que son creativas y dichosas, en lugar de dañinas y dolorosas. De ahí que resulten satisfactorias y agradables, y dejen de ser adictivas. Cabe recordar que «adictivo» significa algo que promete satisfacción y no la procura durante mucho tiempo, lo cual hace que uno lo desee cada vez más y sienta cada vez mayor frustración.

Una vez la sabiduría lo ha liberado a uno del engaño que supone la absolutización del yo, la energía de solidificación de sujeto y objeto se relativiza y puede manejarse de modo creativo, y el propio engaño se torna «sabiduría como espejo», blanco diamantino, elemento tierra y proceso de materialidad. Entonces la adicción al deseo se torna energía de conexión, sabiduría individualizadora, rojo rubí, elemento fuego y proceso de discernimiento. La adicción a la soberbia se torna sabiduría igualadora, oro topacio, elemento agua y proceso de sensaciones. La adicción a la envidia se torna sabiduría todopoderosa, verde esmeralda, elemento viento y proceso de funciones mentales. Finalmente, la adicción a la ira se torna sabiduría última de perfección de la realidad, azul zafiro, elemento espacio y proceso de conciencia.

Por consiguiente, el ser iluminado, libre del engaño, vuelve a concebir estas energías mentales y emocionales profundas como energías de sabiduría, modos de conciencia que expresan su inconcebible unión dichosa con toda la vida y la muerte en tanto que color, forma, materia y mente, impulsada por la compasión liberada para remodelar el universo y envolver a todos los seres sensibles en un entorno positivo de acceso óptimo a su propio potencial supremo.

Por muy maravillosa que resulte esta visión dichosa del profundo y nuevo entramado del mundo que aporta la psicología tántrica, nada de todo esto puede suceder hasta que el engaño no se transforma en sabiduría. De modo que, primero, es preciso dominar o vencer las adicciones como la ira, para que sea posible desplegar de nuevo sus energías con toda seguridad.

CAPÍTULO SEIS

El yoga, de la trascendencia a la ira

¿Cómo podemos renunciar a la ira? ¿Cómo nos enseña a hacerlo el gran santo y sabio Shantideva? El primer paso consiste en determinar qué debemos hacer. Básicamente, la «ira» se refiere a un estado de ser y un modo de hacer que nos conviene en gran manera eliminar.

> Cualesquiera que sean mis actos virtuosos,
> la devoción a los Budas, la generosidad y demás,
> acumulados durante miles de eones,
> todos quedan destruidos en un momento de ira.

La ira se considera aquí una adicción emocional y no un pecado. «Pecado» va con «delito» en tanto que transgresión de la ley, con el castigo como consecuencia, infligido por el «Dios» monoteísta en caso de pecado y por la sociedad en caso de delito. Una adicción es un hábito que se ha vuelto compulsivo, no está controlado por el adicto y tiene su propia consecuencia negativa en un proceso físico y mental causal. Cuando su resultado se prolonga más allá de la vida de un solo individuo, se puede calificar, con toda razón, de adicción «evolutiva», ya se considere ese *continuum* evolutivo un proceso físico de hábito codificado en los genes físicos, que produce cuerpos (de otros seres) nuevos, aunque afectados, o bien un proceso psicofísico donde el hábito codifica un gen «psíquico» que determina la producción de nuevos complejos cuerpo-mente en un *continuum* individual en curso.

El primer paso absoluto del yoga de la paciencia es tomar la decisión de que la ira es mala, funesta, negativa, una adicción o, incluso, un pecado. Como sucede al tratar de dejar cualquier adicción, la mente debe mostrarse decidida en su resolución por eliminar esta actitud y emoción negativa. Para llegar a ese punto, la ira debe poseer una definición precisa, una frontera que trazamos entre ella y los impulsos, emociones o energías afines. Se produce ira cuando la irritación, el enfado, la desaprobación y demás estallan de repente y se convierten en un irresistible impulso de responder de un modo dañino ante lo que se percibe como origen de esos sentimientos. Uno ya no controla los actos mentales o corporales que realiza entonces; uno no está «expresando su ira», se ha convertido en el instrumento involuntario de dicha ira. Por ejemplo, ¿quién se enfadaría con un *bodhisattva*, una persona totalmente altruista, si tuviera sus sentimientos bajo control? Sólo es posible sentir pura ira, odio, deseo apremiante de violencia, cuando se pierde la sensatez y se está inflamado de cólera. Esta «demencia», insensata por su furia, destruye todo progreso evolutivo que uno pueda haber logrado con mucho esfuerzo. Shantideva emplea el ejemplo extremo de estar enfadado con un *bodhisattva*. En un sentido occidental, podría compararse con albergar ira contra Jesús, María, Mahoma o contra el propio Dios. Significa estar enfadado con la fuente de toda bondad, criar cuervos para que te saquen los ojos. Es algo a todas luces autodestructivo.

> No hay mal tan dañino como la ira,
> ni penitencia tan efectiva como la paciencia.
> Así que, por todos los medios posibles, deberé
> cultivar con intensidad la paciencia.

Al decidir que la ira siempre resulta dañina, es preciso concebir a su contrario como algo que siempre ayuda. Lo contrario de la ira, en última instancia, es el amor y la compasión, la voluntad de ayudar a los demás para que no sufran y sean felices. Sin embargo, supondría una excesiva presión para nosotros el insistir en pasar inmediatamente de la ira y el odio a la compasión y el amor. Hay un terreno intermedio, el terreno de la tolerancia, la paciencia, el aguante y el perdón. Nos invade la ira cuando nos hacen daño o cuando pensamos que nos lo hacen. Es posible que nos sintamos irritados, pero no llegaremos a perder los estribos ante la ira si toleramos la irritación, nos mostramos pacientes con el daño, aguantamos y no respondemos e, incluso, perdonamos el agravio. De modo que la resolución positiva es cultivar la tolerancia y la paciencia.

> Manteniendo en la mente la herida causada por la ira
> nunca experimentaré la paz.
> No alcanzaré dicha ni felicidad,
> perderé el sueño y me retorceré de frustración.

Cuando uno se ha sentido herido por algo o alguien, la ira que experimenta es una segunda herida del interior; constituye otra herida en sí misma. La mente no encuentra descanso, ya que la ira se retuerce dentro e incita a vengarse de quien ha causado el agravio. Las cosas que normalmente suscitan placer, incluso dicha, el rostro del ser amado, la buena comida, el entretenimiento agradable, el deleite sensual, pierden su atractivo de inmediato en cuanto nos invade la ira. Cuando uno está muy airado, ni siquiera puede dormir, pues la mente vuelve una y otra vez al agravio y urde cómo pagar con la misma moneda o con alguna peor.

La ira echa a perder las relaciones donde debiera existir una gran reciprocidad. Aunque otros dependan de ti y reciban de ti su sustento o la dignidad, te odiarán y esperarán la oportunidad de herirte e, incluso, destruirte si se encuentran constantemente sometidos a tu ira.

> La ira nos separa de amigos y parientes.
> «¡Aunque agradecidos por lo que les doy, no confían en mí!»
> En definitiva, no hay modo de vivir felices
> si arde el fuego de la ira.

La ira es como el fuego: te quema y quema a los demás. Es imposible ser feliz cuando otros están cerrados a ti, cosa que harán si te perciben como dañino e hiriente, como se está siempre cuando invade la ira. Al sumar estas reflexiones, se acaba determinando que la ira siempre causa heridas y echa a perder cosas que normalmente son buenas.

> La ira, mi verdadero enemigo,
> crea tales sufrimientos como estos.

Pero quien la controla y conquista
encuentra felicidad en el presente y en el futuro.

Esta es la gran decisión: que la ira misma es tu mayor enemigo. Causa el mayor de los daños, hiere en el interior, acaba con la felicidad y resulta especialmente difícil defenderse de ella, ya que surge del interior de uno mismo; de hecho, se hace pasar *por* uno mismo. Una vez entendido esto, se simplifica la lucha por descubrir la felicidad. Esta decisión proporciona la clave de la felicidad. Y es que, como el principal enemigo se encuentra en el interior de uno mismo, es una sola fuente, es posible volverse contra él, encontrar su causa originaria, aprender a conocer sus manifestaciones y blindarse contra ellas, y esforzarse por extirparlo. Así deja uno de sufrir su daño. Es posible derrotarlo poco a poco y, de un modo realista, alcanzar la felicidad buscada.

Este es el descubrimiento radical de la psicología budista. No hay que resignarse al sufrimiento corriente, a no ser nunca consciente de lo que realmente está sucediendo, a estar indefenso no sólo ante la sociedad, el espacio, el tiempo y los demás, sino, lo que es más importante, ante los propios instintos, impulsos y demandas internos. No hay que ceder ni dejarse golpear alguna que otra vez por las pasiones y la ira. Es posible llegar a ser consciente de lo que antes no se percibía. Es posible entender los impulsos, ver de dónde proceden, bloquear la fuente originaria y desviar la energía para uso propio. Es posible resistir a todos los imperativos y aprender a controlar las energías subyacentes. Es posible reclamar esas energías para la vida propia, para la felicidad propia y la de los seres queridos.

El siguiente paso es entender cuáles son los mecanismos mentales de la ira.

> La ira encuentra su alimento en la incomodidad mental
> que siento al enfrentarme a los sucesos no deseados
> y en el bloqueo de lo que quiero que suceda;
> entonces explota y me abruma.

La definición de «ira», tanto en el sentido occidental, como vicio o pecado mortal, mortífero o capital, como en el sentido oriental de adicción mental fundamental, incluye básicamente su capacidad de arrastrar a la persona. Sucede cuando la pasión adictiva echa por tierra la razón y el sentido común, y la mente, la palabra y el cuerpo se convierten en sus instrumentos. La nueva percepción que Shantideva comparte con nosotros es que, antes de que se produzca la verdadera ira, se da un estado de «incomodidad mental» o frustración que surge al ver que suceden cosas que uno no desea o al ver cómo se frustra lo que uno desea. Aunque uno se sienta cada vez más irritado por estas situaciones, no deja de ser razonable. El truco clave consiste en intervenir mental, verbal o físicamente para disipar la incomodidad, reconducir la situación enérgicamente antes de explotar, perder el control ante la ira y convertirse en su instrumento.

> Al verlo, debo eliminar cuidadosamente
> ese alimento que da vida al enemigo;
> porque ese enemigo no posee actividad alguna
> que no sea la de causarme daño.

Por consiguiente, para impedir que la leña que alimenta el fuego de la ira alcance el punto de combustión, es posible implicarse en la situación externa o bien ocuparse de la reacción desde el interior. Si se actúa hacia fuera, se puede ser enérgico, incluso agresivo (ya que la ira no es meramente una agresión, sino más bien un tipo extremo de agresión), para propiciar que suceda lo que uno quiere o impedir que suceda lo que uno no quiere. La implicación activa resultará mucho más eficaz cuando uno se muestra razonable y mantiene el control de la energía, y no cuando uno ha perdido el control y tiende a reaccionar de forma desmesurada. Sin embargo, siempre puede darse el caso de que no sea posible influir en el resultado de ninguna manera y que suceda lo que uno más teme, o que no suceda lo que uno más espera. En ese caso, hay que dar un vuelco a la situación e intervenir en el mundo interior, en la mente.

Suceda lo que suceda, no debo permitir
que mi dicha sea perturbada.
El ser infeliz no ayudará a cumplir mi deseo
y perderé todas mis virtudes.

En este punto, la intervención consiste en impedir que la incomodidad o frustración resulten intolerables. No hay que perder la felicidad, la alegría, el contento. ¿Y cómo hacerlo? De muchas maneras. Se distrae uno contando las bendiciones que ha recibido, pensando cómo podría ser incluso peor. Se examina de un modo más profundo la imagen que molesta, se busca cómo sacar provecho a los inconvenientes de las esperanzas frustradas y se desarrolla tolerancia y fuerza. Por medio del sentido de la certeza, se percibe lo que está mal, y se percibe desde otra perspectiva. Como mínimo, uno se da cuenta de que quedarse helado no va a mejorar la situación sino que, sencillamente, va a aumentar la infelicidad; en otras palabras: añadirá un dolor interno a un dolor externo. Esto resulta crucial, ya que uno está enfrentándose a una adicción. El adicto queda seducido por la sustancia adictiva al sentir que le ayudará a disipar el sentimiento negativo. Igualmente, la ira se acerca a la mente presentándose como una energía útil. «¡Esto resulta sencillamente inaceptable, una barbaridad! Explotemos de furia y nuestra fogosa energía acabará con el obstáculo y aclarará la situación. Tal vez las cosas no funcionaron siempre en el pasado, pero ¡qué otra cosa se puede hacer con este dolor!» Esta adicción a un hábito mental es más sutil que la adicción a una sustancia física que promete un estado mental. El hábito mental se le presenta a uno como un estado propio y nuevo, como el imperativo de la propia naturaleza, de ahí que resulte mucho más irresistible. El adicto ha experimentado la emoción, la euforia y la humillación espantosa cuando todo se pone peor, pero en el momento de la tentación, tiende a ignorarlo por la promesa de la emoción. Aquí el reconocimiento de la ira como enemigo, la decisión original donde se inicia el yoga para domar la ira, se convierte en un elemento de suma importancia.

> ¿Por qué ser infeliz por algo
> si puedes solucionarlo?
> Si no se puede solucionar,
> ¿de qué sirve ser infeliz?

Es una máxima clásica. Cuando uno se siente frustrado, puede intervenir enérgicamente en una situación antes de enfadarse, haciéndolo con alegría y una energía dichosa. Cuando no se puede hacer nada, es posible intervenir en el interior de uno mismo, recordándose que no se debe aumentar la infelicidad añadiendo locura a la frustración.

CAPÍTULO SIETE

Cuando la paciencia procura tolerancia

> No deseados para mí y mis amigos
> son los sufrimientos, los desprecios,
> las palabras duras y los desprestigios;
> para los enemigos es justamente lo contrario.

No hay que olvidar qué es la ira, cómo se relaciona con el agravio y el sufrimiento. Resulta sorprendente cómo las cosas que me suscitan ira, que me causan sufrimiento, dolor, incomodidad y bochorno, no dejan de complacerme cuando le suceden a alguien a quien considero un enemigo. Deseo que experimente el mismo sufrimiento que no deseo para mí.

El motivo de felicidad se da algunas veces;
los motivos de sufrimiento son muchos.
Pero sin sufrimiento no hay trascendencia;
¡así que, oh, mente, debes ser valiente!

Por lo tanto, es mucho más fácil sufrir que ser feliz, ya que los motivos de sufrimiento parecen más numerosos que los motivos de felicidad. De ahí que uno vaya a sufrir más. Lógicamente, el único modo de poder empezar a encontrar felicidad en abundancia es descubrir una manera de utilizar las causas habituales de sufrimiento y transformarlas en causas de felicidad. De este modo, es posible utilizar las experiencias de sufrimiento para desarrollar la mente trascendente, la mente orientada hacia la libertad, la mente que renuncia a los placeres superficiales en busca de una felicidad fiable. Entonces, los numerosos motivos de sufrimiento proporcionarán abundantes motivos de felicidad, una felicidad fiable basada en la libertad. Por consiguiente, se busca el sufrimiento para fortalecer la paciencia duradera, la capacidad de tolerancia, lo cual conduce a la libertad y posibilita la felicidad. «¡Lo que no me mate me hará más fuerte!», dijo Nietzsche. «Quien algo quiere, algo le cuesta», dicen los culturistas.

En vano, penitentes y flagelantes
soportan las sensaciones de los cortes y quemaduras;

¿Por qué temes, entonces, mente mía,
sufrir por el bien de la liberación?

«¿Cómo? ¿Estamos entrando en el terreno del masoquismo? ¿Buscamos el sufrimiento y el dolor como remedio para la ira? Seguro que no va a funcionar, ¡es demasiado extraño!» No, por supuesto, no están siendo masoquistas esas personas que buscan el placer experimentando dolor por culpa del profundo odio que sienten hacia sí mismas. No están buscando un placer efímero mediante el sufrimiento. Están buscando el sufrimiento para desarrollar un desapego trascendente, la renuncia al placer efímero, para alcanzar la libertad. Así que uno se anima al observar que los fanáticos religiosos, los masoquistas y los vanidosos adoradores del cuerpo desarrollan una gran resistencia al dolor para lograr sus metas totalmente ilusorias. Si pueden hacerlo por una meta que no procura satisfacciones, es posible hacerlo por la meta más elevada de todas. Después de todo, la tolerancia trascendente significa gozar de libertad para no temer sufrimiento alguno, la única felicidad duradera, hablando de forma lógica.

No hay nada que no pueda llegar a ser
fácil de soportar con práctica constante;
Así que, practicando con un poco de dolor,
deberías aprender a sobrellevar grandes dolores.

El desarrollo gradual de la tolerancia funciona, se percibe en todas las disciplinas de cuerpo y mente, sean cuales fueren los fines que persigan, mundanos o trascendentes.

> ¿Quién no lo ha experimentado con dolores accidentales,
> picaduras de insectos o serpientes,
> punzadas de sed, hambre y demás,
> e irritaciones tales como erupciones?

No es más que sentido común en la vida cotidiana. Mejor que rascarse cuando se siente picor es curar la picazón para que desaparezca.

> No debo impacientarme
> con cosas como el calor, el frío, la lluvia y el viento,
> la enfermedad, la muerte, la esclavitud y los contratiempos;
> porque sólo causan más dolor.

Por lo general, nos irritan y frustran las molestias que ocasionan los elementos y procesos naturales de nuestra vida vulnerable y pasajera. Estas frustraciones pueden desarrollarse hasta suscitar arrebatos de ira, odiando la lluvia, chillando al viento, retorciéndose de furia por haber contraído tal o cual enfermedad, haber sufrido tal o cual agresión o accidente, amenazando con el puño a Dios, al destino, a Buda o a nuestros padres cuando nos enfrentamos con la muerte. Pero, ¿de qué sirve? La reacción airada no afecta a los elementos ni a la naturaleza de ningún poder divino. Sólo añade tensión y sufrimiento internos a la presión y el sufrimiento externos.

> Algunos se tornan más valientes y heroicos
> al ver el derramamiento de su propia sangre;
> otros se sienten desvanecer y llegan a desmayarse
> cuando ven el desangrar de otro.

> Esto procede de la mente y su carácter,
> si es valiente o tímida de hábito.
> Luego debo ignorar las heridas
> y no permitir que los sufrimientos me afecten.

Mirando a las demás personas, se ve que algunas son valientes y heroicas bajo presión y ante el dolor, mientras que otras sucumben en idénticas circunstancias. Obviamente, se admira a los valientes y se desprecia a los temerosos, por lo que uno ha de mostrarse decidido a cultivar la valentía.

> Aunque experimenten sufrimientos,
> los sabios no permiten que la mente se nuble o se altere;

al entablar la guerra contra las adicciones,
la batalla causará muchos daños.

Después de todo, uno está inmerso en una batalla contra los vicios y las adicciones, especialmente la adicción a la ira, y no puede esperar salir victorioso de un conflicto de tal envergadura sin recibir unos cuantos golpes importantes. La ira te utiliza para repartir golpes duros a diestro y siniestro. Cuando te vuelves contra ella, debes esperar que se vuelva contra ti. Cuando se vuelve contra ti, quiere hacerte sufrir. Si uno ha aprendido a tolerar el sufrimiento como algo natural, sin sentirse ofendido ni tomárselo como algo personal, se está fortalecido para soportar cualquier cosa que la ira haga contra uno. No puede derrotarte, no puede enojarte, de manera que en esta posición de gran resistencia, gran tolerancia interna, uno está encontrando el camino que conduce a la libertad.

Los héroes verdaderamente victoriosos
hacen caso omiso de todo sufrimiento
y derrotan a enemigos como la ira;
el resto no son más que cadáveres de matadero.

El heroísmo en la batalla constituye un símil del héroe que libra batalla contra el enemigo de la ira. La ira y otras adicciones mentales son los enemigos que verdaderamente merecen la pena, y cuya derrota reporta el verdadero y merecido fruto de la libertad. Sólo es posible vencerlos cuando se hace caso omiso del posible dolor que pueda sufrirse durante la batalla. Entonces se consigue un auténtico heroísmo, un heroísmo que va más allá de la muerte y de la vida mediocre, centrada en uno mismo. Los héroes mundanos que luchan y asesinan a otros seres están movidos por la ira, son sus adláteres y matan cuerpos de enemigos que recuerdan a zombis, los cuales, a su vez, no son sino instrumentos de la ira. La ira que les empuja al campo para entablar batalla contra ti ya les ha robado sus vidas de libertad y tu ira te convierte a ti en zombi en su causa. Eres el cadáver de un héroe que mata a otros cadáveres, y ambos sucumbís ante el verdadero enemigo: la ira.

> Además, el sufrimiento tiene sus beneficios;
> cansarse de él disipa nuestra arrogancia,
> despierta nuestra compasión por las criaturas cíclicas,
> y nos hace evitar el vicio y amar la virtud.

Se confirma ya que uno se encuentra en el primer nivel de paciencia, la tolerancia al sufrimiento desarrollada con la disciplina del sufrimiento consciente, que enseña a emplear el sufrimiento como estímulo para alcanzar la libertad trascendente. En la campaña a favor de la paciencia, cuyo objetivo principal es derrotar a la ira, uno también ha descubierto cómo utilizar el sufrimiento para contrarrestar la soberbia y la arrogancia, y también cómo identificarse con otros seres adictos y que sufren, desarrollando empatía con su sufrimiento y sintiendo compasión hacia ellos, la voluntad de liberarlos a ellos también.

CAPÍTULO OCHO

Cuando la paciencia procura una nueva percepción

> Yo no me enojo con las causas principales
> de los sufrimientos, humores negativos como la bilis;
> así que, ¿por qué me enojo con los seres mentales,
> todos ellos impulsados por afecciones como están?

Una vez incorporado el nivel de paciencia desarrollado gracias al cultivo de la resistencia, debe movilizarse la atención analítica para llevarla más lejos, al terreno de la tolerancia activa basada en una nueva percepción. El fuego de la ira siempre arde dentro de un marco, una selección de un objetivo conceptual que nace de la exagerada cosificación del yo y objetificación del otro que se da de modo habitual, incluso instintivo. En lo que respecta a las personas con quienes nos enojamos, nos concentramos específicamente en sus intenciones. Aunque, por lo general, esto funciona de un modo inconsciente y automático, uno absolutiza una personalidad en su enemigo, proyectándola desde su propio sentido del yo absolutizado, y atribuye una intención malévola al yo de ese enemigo, pensando que desea despiadadamente hacerle daño a uno. Seguidamente, te vuelves paranoico con eso y temes lo que pueda hacer tu enemigo, y la ira acaba explotando a modo de prevención, ofreciéndote la desesperada promesa de eliminar la amenaza. En este punto, Shantideva advierte cómo la ira, aunque parece ser intrínsecamente una fuerza explosiva de la naturaleza, funciona en realidad dentro de un marco discriminatorio habitual. Mientras que la cólera suscita un estado febril y nos hace sentir enfermos, cuando los elementos provocan daños, terremotos, inundaciones, incendios y huracanes, uno no se enfada con el mal genio, la tierra, el agua, el fuego o el aire. Por consiguiente, la elección de tener una mente como enemigo, que se supone exactamente igual que tú, se basa en tu proyección de una acción independiente en ese ser que ha elegido, está eligiendo o elegirá hacerte daño. Cuando se aporta una conciencia más centrada para influir en la situación, cuando se analizan las realidades de uno mismo, el enemigo y la situación, se ve enseguida que el enemigo no es más que un autómata simplemente, como la tierra o un río, que su comportamiento está determinado por impulsos y por actitudes inconscientes, como los tuyos. Carece de cualquier voluntad independiente y no es más que una víctima indefensa de sus instintos internos, igual que tú.

> Igual que, en todo momento, involuntariamente,
> sus enfermedades ocurren sin poder evitarlo,
> en todo momento, involuntariamente,
> sus adicciones mentales surgen de modo compulsivo.

Igual que la bilis, de un modo natural y mecánico, causa dolencias por acaloramiento en el cuerpo (lo mismo que la ira causa dolencias en la mente), sin ninguna acción independiente y deliberada, un ser mental no iluminado se ve abocado a la ira por sus adicciones mentales, el engaño, la lujuria, la ira y demás, que, a su vez, actúan de un modo mecánico, sin intención deliberada. La elección de «bilis» aquí resulta significativa: en la medicina budista, la «bilis» es el análogo humoral del elemento físico del fuego y el veneno mental de la ira.

No es pensando «¡Debería ponerme furioso!»
como las personas se sienten furiosas sin poder evitarlo;
y no es pensando «¡Debo desarrollarme!»
como la furia misma, automáticamente, se desarrolla.

Las personas hechizadas por la adicción a la ira no consiguen manifestar ira a fuerza de voluntad, sino que, simplemente, explotan; aunque uno pueda pensar: «¡Debería enfadarme con tal o cual!», antes de enfadarse, la naturaleza misma de la ira consiste en ejercer una poderosa influencia sobre uno y privarlo de voluntad propia y alternativa inteligente. Igualmente, cuando la ira se presenta en forma de furor y cólera, lo hace sin ninguna libre iniciativa de convertirse en furor. Igual que el fuego no decide quemar el siguiente tronco, sino que lo hace de manera automática, tú y tu ira, tu enemigo y su ira, son procesos mecánicos sin intención consciente.

Cualesquiera que sean las maldades encontradas
y las distintas clases de vicio,
todas surgen por la fuerza de las circunstancias
y de ninguna forma voluntariamente.

Rápidamente, la atención analítica entra en una nueva percepción, al no dejarse engañar por la percepción cosificada de la libre acción en los actos de gran maldad o las adicciones mentales y ver las cosas como el inconcebible entramado de causas y circunstancias impersonales.

> Aquellas circunstancias unidas
> no se proponen: «¡Causemos daño!».
> Ni tampoco su resultado, el daño mismo, pretende:
> «¡Voy a ser causado!».

El entramado de cosas y procesos interrelacionados carece de cualquier libre iniciativa personalizable que pretenda causar daño y, en consecuencia, uno no cuenta con un objetivo real para su ira que pueda escoger de una forma consciente como causante último del sufrimiento y alcanzar felicidad de forma realista destruyéndolo.

> Incluso los agentes postulados, alma-materia
> y el teóricamente imaginado (yo),
> nunca actuarían pensando por voluntad propia:
> «¡Debo surgir como causa del daño!».

Las teorías del alma y del yo esencial en personas y cosas que imaginan las religiones y las filosofías siempre se postulan como absolutas, irreductibles, inmutables y no relacionales por definición; por consiguiente, no pueden considerarse racionalmente como agentes que actúan y piensan de un modo relacional.

> Ya que tales («alma» o «yo») no se han producido y son ine-
> [xistentes,
> así es también su voluntad de causar (daño o cualquier acción);
> como deben centrarse en su objetivo de modo permanente,
> nunca pueden concretarse (en una acción).

En el contexto de la sabiduría pura, esta consideración conduce al sofisticado razonamiento metafísico crítico tan altamente desarrollado en las universidades budistas de la India y el Tibet, donde se ha investigado y criticado toda elaboración concebible (e inconcebible) del yo absoluto. El objetivo de estas páginas es la ira, por lo que no hay necesidad de entrar a fondo en un análisis de esta naturaleza. Baste con decir que ningún proceso condicional podría producir tal entidad permanente y, de hecho, sin partes y no relacional, como el alma o el yo inmortal, sino que debe ser algo no condicional e, incluso, no producido, como el espacio. Por lo tanto, tampoco puede participar en procesos relacionales, condicionales, como pensar o actuar.

> Si el yo fuera permanente (como se asegura),
> claramente debería ser inactivo, como el espacio;

aunque se encuentre con otras circunstancias,
¿qué podría hacer sin cambiarse a sí mismo?

Algún otro experimento mental también arroja la imagen de un yo permanente y absoluto que no encaja con ninguna imagen de cosas relacionales, que se encuentra con algo y se cambia a sí mismo, que interactúa con otras cosas relacionales, de ahí que muestre su inverosimilitud como algo existente.

Y si al actuar sobre ello permanece igual,
entonces, ¿en qué afectaría la acción?;
aunque digamos: «¡Esta es la acción de esto!»,
¿qué relación podría tener (con cualquier cosa)?

Aquí un yo no relacional y absoluto, imaginado como presente entre cosas relacionales, deja de caber dentro de lo posible y el entramado de cosas relacionales surge inconcebiblemente libre de toda esencia, sustancia y yo no relacionales, o de cualquier clase de cosa independiente. Esta libertad se experimenta con una nueva percepción muy intensa y esta percepción merma el sentido del yo absoluto que existe en lo más hondo de la experiencia de uno mismo, que es a lo que la ira puede agarrarse y presentar sus propios impulsos como imperativos absolutos.

En consecuencia todo depende de otras cosas,
que, a su vez, dependen de otras más.
Sabiendo esto, no me enojaré
con cosas que son irreales como fantasmas.

La nueva percepción atribuye poder a la paciencia al liberar de un modo crítico a las percepciones de la absolutización de toda la estructura discriminatoria en cuyo interior la ira puede controlarte; el «yo», el «enemigo», el «daño» y la «venganza»: todas estas entidades surgen como construcciones realizadas por los hábitos mentales. Esto permite abrir la jaula de la aparente inevitabilidad de lo que realmente ha sucedido y lo que uno realmente debe hacer. Todo empieza a adoptar un matiz de irrealidad, fluidez y se alcanza un nivel distinto de flexibilidad en la respuesta. Donde antes parecía que uno debía enojarse por lo que resultaba excesivo de soportar, ahora uno está facultado para ser paciente y más cuidadoso con la percepción y la respuesta, ya que es posible ver cosas externas e internas desde muchas perspectivas distintas.

«Si todo fuera irreal, ¿qué es eliminado y por quién?
¿Seguro que eliminar la ira sería irracional?»
Es algo práctico eliminar la ira, si uno quiere
interrumpir la corriente continua del sufrimiento.

Pero luego podría objetarse: «¿Por qué molestarnos en disciplinar la ira? Incluso la ira es irreal, el enemigo es irreal, yo soy irreal; así pues, ¡lo que haga deja de tener importancia!». Claro que todo es irreal, pero por muy irreal que sea, ¡uno experimenta sufrimiento irreal de un modo irreal! «Irreal» significa simplemente que lo que parecía absoluto, intrínsecamente real, es irreal como absoluto y, por lo tanto, tan sólo relativamente real, lo que exime a uno de asumir la responsabilidad de remodelar las cosas para lograr mejores pautas de interacción. «Irreal» se refiere a la cualidad de cómo existen las cosas y no significa que sean totalmente inexistentes. Sin duda alguna, las cosas relativas no existen en tanto que absolutos, pero eso significa que sí existen de un modo relativo. Como en nuestra existencia relativa sufrimos terriblemente y la ira causa mucha destrucción que agrava el sufrimiento, resulta totalmente práctico deshacerse de la ira.

> Así que si veo a un enemigo o amigo
> cometer algún acto erróneo,
> mantendré el buen ánimo pensando:
> «Esto surge de circunstancias mecánicas».

Desarrollando la paciencia que nace de la nueva percepción, la tolerancia consciente de las irrealidades y realidades de las cosas, uno puede impedir que la frustración por cosas que no marchan bien o cosas que marchan mal estalle hasta convertirse en ira, manteniendo el buen ánimo al reflexionar sobre la condicionalidad de todas las cosas, que suceden de forma mecánica y que pueden abordarse con serenidad y sangre fría para transformar su rumbo negativo en un rumbo positivo.

Si eso pasara voluntariamente,
dado que nadie quiere sufrir,
ningún ser corporal, cualquiera que sea,
experimentaría nunca el sufrimiento.

Al subrayar la importancia del argumento, que confirma la impotencia de los seres, incluso de los enemigos, uno advierte que el sufrimiento sólo ocurre como consecuencia de la impotente confusión y las adicciones mentales en las que se ven atrapados los seres, que les privan de cualquier tipo de libertad de elección o voluntad.

Por descuido,
las personas se hieren a sí mismas con espinas y demás,
y también para conseguir pareja y otras cosas,
llegan a obsesionarse y se consumen.

Al examinar los actos inconscientes de las personas, se da uno cuenta de que no saben lo que hacen, como señalara Jesús.

Algunos se matan tirándose a precipicios,
tomando veneno y comida perniciosa.
Y, temerariamente, se destruyen a sí mismos
con actos nada virtuosos.

Miremos a las personas que se destruyen dirigiendo su ira contra ellas mismas. ¿Dé qué manera les va a ayudar eso? ¿Por qué lo harían si tuvieran el control de sí mismas en sentido real?

Si, dominados por las emociones adictivas,
matan incluso a sus apreciados yoes,
¿cómo fracasarían a la hora de causar daño
a los cuerpos de otros seres?

Naturalmente, si se hieren y se matan sin poder evitarlo, impulsados por las adicciones mentales, no cabe esperar que no hieran y maten a otros cuando la ira les dirige contra ellos.

Así que, dominados por las adicciones,
cuando ellos intentan cosas como el matarme,
quizá sea difícil sentir compasión,
pero, ¿qué sentido tiene encolerizarse?

Sería bastante difícil sentir compasión de alguien que está tratando de matarte o causarte daño. Es posible que uno se vea abocado a la lucha o a reacciones de huida; es posible que, en la práctica, uno necesite defenderse y no tenga tiempo de lamentarlo por el atacante engañoso, pero, ¿por qué tomarse la molestia de estallar presa de la ira? Vale más guardar la energía para dar la respuesta racional más eficaz que permita evitar el daño, calmar al enemigo con los medios más efectivos.

> Aunque sea algo natural para los insensatos
> causar daño a otros,
> es un error encolerizarse con ellos,
> como igual lo sería enojarse con el fuego por arder.

Cuando las cosas se incendian, uno concentra toda su atención en sofocar el fuego, utilizando todos los métodos razonables disponibles para hacerlo con la máxima rapidez. Uno no se enfada terriblemente con el fuego primero, ni chilla y grita luego, ni lo maldice y demás. Se considera un gasto inútil de tiempo y energía. Así que uno no debe molestarse en enfadarse con los no iluminados cuando nos causan daño, sino limitarse a hacer el máximo esfuerzo para minimizar o evitar el daño.

Aunque los seres sean gentiles por naturaleza
y la maldad de dañar sea ocasional,
no deja de ser un error encolerizarse;
como lo sería molestarse con el espacio por llenarse de humo.

Si uno tiene la percepción de que los seres sensibles tienen buen carácter por naturaleza, ya que, por encima de todo, tratan de evitar su propio sufrimiento y de ahí que prefieran no provocar en otros reacciones peligrosas causándoles sufrimiento, cabría pensar que no están respetando su propia naturaleza cuando se enojan y causan daño, y podría llegar a pensarse también que la ira resulta apropiada, ya que el daño que están infligiendo no es algo natural. Pero cuando se te llenan los pulmones de humo porque el fuego no tira, ¿te enfadas con el espacio normalmente lleno de aire de la habitación que se satura de humo? No; toses y contienes la respiración, tratas de abrir el tiro de la chimenea, apagas el fuego o sales de la habitación. Con la ira no se consigue nada.

Aunque los palos y demás duelen de veras,
me enojo con quien los da;
pero él también es un instrumento de la ira,
por lo que sólo mi enojo con la ira es lícito.

Finalmente, ahora que con una nueva percepción consciente es posible ver los acontecimientos desde distintas perspectivas sin obsesionarse con una perspectiva absoluta que justifique la reacción absoluta de la ira, es posible distinguir que cuando alguien te golpea con un palo, no te enfadas con el palo, no te enfadas con la mano, no te enfadas con el músculo del antebrazo, el bíceps, el hombro, el cuello, el rostro de quien golpea; uno se enfada con la persona que inflige daño de un modo intencionado y golpea con el palo. La ira se concentra en la acción sobre la persona en tanto que opción conceptual. Se absolutiza esa acción como algo malintencionado y se demoniza a ese enemigo, y sólo entonces explota efectivamente la ira para destruir a ese enemigo. Pero ahora que se sabe que la otra persona, sin poder evitarlo, es instrumento de su propia ira, igual que el palo, sin poder evitarlo, es instrumento de su mano y de su cerebro, sólo puede uno enfadarse con la adicción mental que le mueve. Es posible enfadarse con su ira, con la ira en sí misma. Pero la ira ante la ira debe dirigirse a destruir la ira. Y la ira tan sólo puede destruir la ira impidiéndole la entrada en la mente. ¡La ira sólo se destruye no generando más ira! La ira eficaz ante la ira sólo puede convertirse en la energía de la tolerancia.

CAPÍTULO NUEVE

Cuando la paciencia predispone al perdón

> Hace tiempo ocasioné
> daño de este tipo a seres,
> causándoles así perjuicios;
> ahora ese daño regresa a mí.

Para llegar a las raíces mismas de la ira, debemos profundizar más en lo inconcebible de la realidad relacional, en el entramado de interconexiones evolutivas de seres sensibles en un espacio y un tiempo infinitos. Necesitamos esta perspectiva más amplia, porque sólo en el contexto infinito podemos ver todas las cosas como causal y condicionalmente interconectadas, sin ningún marco de referencia limitado y supuestamente absoluto. Debemos superar el «primer principio», la «causa no causada», el «límite final» y demás, y liberarnos de las proyecciones de seres humanos egocéntricos que necesitan sentirse contenidos, que desean esconderse de la inmensidad del infinito. Para descubrir la raíz de la ira y eliminar su dominio sobre nosotros, ¿en qué parte del inmenso infinito buscamos la fuente originaria del sufrimiento, el daño, los perjuicios y, por lo tanto, el objetivo de la acción de autoprotección? Obviamente, la respuesta se halla en nuestro interior. Nosotros mismos somos lo que tenemos más a mano. Nosotros mismos somos responsables de nosotros mismos. Disponemos de un acceso primario a nosotros mismos. Podemos hacer algo con nosotros mismos. No obstante, aunque descubramos que nosotros, en nuestra verdadera naturaleza, somos igual de infinitos que el resto del mundo, que quizás, en el fondo, no seamos totalmente distintos del resto del universo infinito, resulta muy útil abordar ese infinito a través de nosotros mismos. Nuestra ira procede del interior. Nuestra paciencia procede del interior. Nuestro engaño nos controla desde el interior. Nuestra sabiduría nos libera desde el interior. Por consiguiente, debemos asumir la responsabilidad de crear nuestros propios mundos. Nuestro engaño, que separa de forma absoluta al yo y al otro, crea nuestro mundo de sufrimiento. La ira inunda de destrucción ese mundo dividido del yo y el otro, y lo transforma en un mundo de temor y peligro. Por lo tanto, cuando nos sucede algo malo, el paso más efectivo es perseguir la fuente originaria en nuestro interior. No sirve de nada sentarse y culpar al mundo de los demás, ello tan sólo refuerza nuestra sensación de impotencia, ya no podemos controlar a los demás, sólo a nosotros mismos.

Así que, por fin, nos volvemos creativos y, llenos de júbilo, nos culpamos a nosotros mismos, culpamos resueltamente a la víctima para así superar nuestra condición de víctimas. Culpar a la víctima no agrava la victimización: nos libera de la victimización. Asumimos la responsabilidad de todo y, por ende, asumimos el mando de todo. «Vale, me hicieron daño y yo hice daño a otros en el pasado, así que me han hecho daño. ¡Qué estupendo poder librarse de esta consecuencia! Ahora no volveré a hacerles daño nunca más, así que no me harán daño. Evitaré la consecuencia de otros males pasados que causé ayudando a otros de forma muy activa, eso pesará más que el daño anterior.

Su arma y mi cuerpo,
ambos son causa de mi sufrimiento.
Él construyó el arma; yo, el cuerpo.
¿Con quién debo enojarme?

Cuando el palo cae sobre mi cuerpo, chocan dos cosas: el palo y el cuerpo. Él tomó el palo y lo convirtió en arma, pero yo creé un cuerpo sensible a ese dolor y lo puse en su camino. Él lo ve como una amenaza, como un obstáculo para su felicidad, de modo que quiere quitarlo de enmedio derribándolo a golpes. Yo creé una de las dos cosas que chocaron. La creó mi engaño, que crea su aparente solidez y la separación del resto del mundo; mi ira, que crea su fealdad, su aparente peligrosidad para mi enemigo; y mi deseo, que crea sus apetitos que amenazan con consumir las cosas que quiere. Por lo tanto, debería imprimir una nueva dirección a la ira para llegar a estas fuentes de sufrimiento más profundas, provocadas por ponerme en el camino de esta persona con el palo.

> Ciego y con anhelos, si me apego a
> esta forma humana tan proclive al sufrimiento,
> agonizando al tacto, como una herida abierta,
> ¿a quién debo odiar cuando duela?

Una vez más, mi cuerpo es tan sensible, tan débil, está tan necesitado y es tan distinto de este otro, ¿acaso debo disgustarme con el cuerpo y no con la cosa, y hacer algo con él? ¿Qué puedo hacer con mi cuerpo? Puedo transformarlo en un cuerpo iluminado. Un cuerpo iluminado es el cuerpo de una persona que posee sabiduría trascendente, que sabe por experiencia que, en el fondo, no hay diferencia entre el yo y el otro, y sin embargo, es relativamente responsable de ser relativamente distinto en función de las percepciones de los demás seres que no han alcanzado la iluminación. Un cuerpo iluminado carece de todo deseo de unión con los demás, ya que constituye la manifestación de alguien que sabe que el yo y el otro ya están unidos. Los demás no perciben un cuerpo iluminado como una amenaza, ya que les parece hermoso, libre de cualquier impulso o apariencia de capacidad perjudicial. Un ser iluminado es más liviano con su vida, más flexible en sus respuestas, tan dichoso en su interior que su sensibilidad sensorial también es más variable, está menos determinada; un ser que no se angustia, ni siquiera cuando es consciente del dolor, y que no tiene ningún miedo, ni siquiera de la muerte, a la cual percibe como una mera transformación de un nivel periférico de manifestación. Por supuesto, resulta difícil imaginar un cuerpo de esta naturaleza, pero es útil hacerlo, para alimentar el objetivo evolutivo de transformar un cuerpo no iluminado en un cuerpo de dicha, considerando sus insuficiencias como las responsables de su sufrimiento y, por lo tanto, considerándolo susceptible de una mejoría ilimitada.

Los insensatos no quieren sufrimiento
y, sin embargo, ansían las causas del sufrimiento

y se hieren con sus propios vicios;
¿qué molesta de los demás?

Los insensatos son quienes no han alcanzado la iluminación, quienes están centrados en sí mismos, quienes intentan escapar del sufrimiento hacia la felicidad, efímera como siempre resulta ser. Adictos al deseo de placer, lo ansían, sin querer reconocer que sienten una constante insatisfacción con todo aquello que suscita apego a ese deseo. Adictos a su dependencia de la ira para eliminar obstáculos al deseo, se ven abocados a la autodestrucción al seguir sus dictados. Adictos al engaño y a la confusión, siempre refuerzan su sensación de alienación apilando teorías sobre percepciones erróneas, confundiéndose aún más, volviéndose más fanáticos, alejándose más cada vez de su propio sentido común.

Igual que los guardianes en los infiernos
y los bosques de hojas afiladas como cuchillas,
este dolor está producido por mi propia evolución;
¿con quién debería enfadarme?

Infinitas consecuencias para pensamientos, palabras y actos conducen en una dirección positiva hacia los cielos más elevados y encarnaciones divinas, además de hacia la budeidad perfecta.

Conducen en una dirección negativa hacia los estados extremos de alienación, presión y dolor en los infiernos, los mundos fantasmales de los pretas y los reinos animales. Si nos encontrásemos en el reino del infierno, torturados por demonios, ¿nos molestaríamos en enfadarnos con ellos por hacer lo que, para ellos, es algo natural? ¿Acaso nos enfadamos con el fuego por arder? No son más que meras creaciones de nuestras propias acciones negativas en existencias anteriores. Deberíamos enfadarnos sólo con nuestras propias acciones evolutivas negativas.

> Obligados por mis acciones evolutivas,
> otros llegan para hacerme daño;
> cuando eso los envíe al infierno,
> ¿acaso no habré causado yo su caída?

Además de todo eso, podemos responsabilizarnos de esos demonios que ahora nos atormentan, ya que nos causan daño como reacción ciega e involuntaria al hecho de que nosotros les hayamos causado daño en el pasado, que los hayamos empujado a encarnaciones y entornos cada vez más despiadados y nocivos. De manera que no sólo no debemos enojarnos con ellos, sino que deberíamos sentir remordimientos por haberles perjudicado tanto en el pasado, una circunstancia determinante para que hayan acabado en el estado que presentan actualmente. Empezamos a entrar aquí en el terreno de la paciencia como perdón activo. Con júbilo y gran euforia, celebramos nuestra liberación inicial del miedo y el sufrimiento yendo más allá de la paciencia en tanto que resistencia y tolerancia y entrando en el terreno de la paciencia como no represalia y perdón. Esto constituye la antesala del templo de la compasión.

> Confiando en ellos con paciencia,
> ¿acaso no me purgo yo de muchos pecados?
> Pero cuando ellos se relacionan conmigo para dañarme,
> ¿acaso no sufren ellos largo tiempo las penas del infierno?

Los enemigos nos proporcionan irritación, agravios y daño, que para nosotros constituyen la oportunidad de poner en práctica la resistencia, la tolerancia y el perdón. Cuanto peor nos traten, mayor provecho sacamos. Incluso llegamos a perjudicarles al permitir que nos traten mal, ya que tienen la intención de hacernos daño, y el fruto de esa intención y sus actos dañinos suponen un deprimente futuro para ellos. Nos convertimos en unos salvadores *bodhisattvas* más fuertes y, con el tiempo, en budas, mientras que a ellos les aguardan largas sesiones de tormentos infernales, de las cuales no obtendrán ningún provecho, dado que no tienen ni la menor idea de cómo utilizar el sufrimiento para practicar la paciencia.

Puesto que así los perjudico
y, de ese modo, ellos me benefician,
¿por qué tan tercamente, mente despiadada,
albergas ira hacia ellos?

Todavía no ha llegado el momento de examinar más a fondo la consideración interpersonal de cómo no causar daño a los demás de ese modo, mostrándose excesivamente paciente y permitiendo que nos sigan causando daño. En este punto, aún necesitamos adentrarnos más en nuestras propias situaciones y fortalecer más la paciencia recordando hasta qué punto supone una exageración enojarnos con esos pobres enemigos que se están destruyendo a sí mismos con tanta eficacia al causarnos daño a nosotros.

Si poseo la excelencia de la paciencia,
¡nunca acabaré cerca del infierno!
Aunque me protejo a mí mismo así,
¿qué será de ellos?

La paciencia hace que resulte imposible acabar en el infierno, puesto que la persona paciente habría utilizado el sufrimiento de todos los estados anteriores a fin de desarrollar libertad y trascendencia con respecto al sufrimiento. La paciencia constituye el máximo blindaje contra la acometida de la adicción y el sufrimiento.

Pero si tomo represalias dañándolos,
eso no servirá para protegerles;
mi propia conducta será destruida
y no servirá para nada toda mi disciplina.

Puede ocurrírsenos que lo que podríamos hacer para echar una mano a estos pobres enemigos es devolverles el daño, para que así tengan una oportunidad de practicar la paciencia. Esta racionalización resulta tentadora, ya que podría respaldar el hecho de que diéramos rienda suelta a nuestro antiguo y acostumbrado deseo de represalia justificada. Pero enseguida nos damos cuenta de que el daño y el sufrimiento sólo hacen que la persona normal y corriente se enfade, una circunstancia que incita a cometer todo tipo de cosas peores y acelera aún más su impulso descendente. En cuanto empecemos a hacerles daño y de paso cedamos el control de nosotros mismos a la ira, también perderemos la disciplina y retrocederemos en la elevación que conduce a la trascendencia mediante el progreso en la paciencia.

Mi mente, en sí, no está encarnada,
así que nadie puede conquistarla de ninguna forma,

pero su apego profundo al cuerpo
hace que se dañe por los sufrimientos del cuerpo.

Es una afirmación sorprendente. Shantideva parece referirse a lo que los budistas tántricos denominan la «mente extremadamente sutil», con una encarnación virtual hecha de energía sutil, que «no está encarnada en» el burdo cuerpo que sufre el dolor con tanta sensibilidad, en el sentido que no es reducible a éste. Llegados a este punto, cuando se está trabajando sobre el daño y la ira, y desarrollando la paciencia, uno se recuerda a sí mismo que llega tanto dolor del cuerpo burdo y de la personalidad que se identifica con él como tú, por eso se la llama la mente burda conectada con las seis conciencias. La evolución controla la mente tomando el cuerpo como rehén, llega a la mente atormentando al cuerpo y, por consiguiente, enojando a la mente, sumiéndola de nuevo en la adicción a la ira. Esta mente incorpórea es, esotéricamente, el desinteresado *continuum* que supone ir de vida en vida y que puede denominarse «alma relativa», desde la perspectiva relacionalista budista. Al emplear la expresión «no encarnada», Shantideva no quiere decir que la mente sea alguna cosa totalmente distinta del cuerpo, ya que, de hecho, la mente siempre está encarnada, ya sea en carne y huesos burdos o en una encarnación de energía sutil. Sólo se refiere a que no está ligada de un modo invisible a ese cuerpo burdo, sino que continuará en un cuerpo tras otro en su progreso o retroceso evolutivo. Necesitamos recordarnos a nosotros mismos así nuestra capacidad de des-identificarnos de nuestros burdos cuerpos para desarrollar el nivel más profundo de paciencia e inmunidad ante la ira, un nivel que supone un desafío a la muerte y al dolor.

A continuación, pasamos a nuestras identidades más sutiles, en el nivel de la palabra y la mente.

> Pero dado que el desprecio,
> las palabras duras y las disputas
> nunca pueden herir al cuerpo,
> ¿por qué, mente, te enojas tanto?

Cuando nos hieren a nivel verbal, el dolor no es de tipo físico; aun así, puede constituir una poderosa causa que suscita ira: a menudo nos sentimos muy ofendidos, nos indignamos mucho por un insulto, calumnias, un lenguaje injurioso, etc. Sin embargo, las palabras son como un eco: no causan un dolor real y no afectan al cuerpo salvo cuando permitimos que nos provoquen.

> «¡Porque otros sentirán aversión hacia mí!»,
> pero eso no me consumirá,
> ni en esta vida ni en la próxima;
> así que, ¿por qué debo yo sentir aversión?

¿No queremos que otros piensen mal de nosotros? Pues no hay que enfadarse por los insultos o malas palabras de otros. Si nos reímos y hacemos caso omiso de los intentos de provocación, gustaremos a la gente, no suscitaremos aversión.

> «¡Porque impedirá mi ganancia mundana!»
> Aunque no me guste eso,
> dejaré mis beneficios aquí, detrás de mí,
> mientras continúo cabalgando en mis pecados.

Tal vez pensemos que sufriremos una pérdida de la reputación y, por lo tanto, una pérdida de ingresos, si hacemos oídos sordos a las palabras negativas que dicen de nosotros. Pero, aun así, eso no es razón para sentir ira, no deberíamos vivir para el dinero. Además, enojarnos no nos devolverá los ingresos y, con frecuencia, empeorará la situación; podemos pensar en mejores maneras de defender la reputación y el sustento manteniendo la serenidad y razonando de forma estratégica.

> Mejor morir ahora mismo,
> y peor vivir largo tiempo impulsado por acciones malignas;
> aunque pueda esperar bastante tiempo,
> la realidad sale a flote en el sufrimiento de la muerte.

Esto podría suponer ir más allá de donde queremos ir, caso de que seamos laicos o, incluso, si somos religiosos formalmente, pero con una visión de la realidad muy marcada por el laicismo. Nos resulta difícil, si pensamos que sólo tenemos esta vida para vivirla, que la cadena causal de consecuencias se detenga en seco en la muerte, vivir con un sentimiento de responsabilidad por los efectos de nuestros pensamientos, palabras y obras que saldrán a la luz más allá de esta vida. Incluso con nosotros ya fuera de la imagen, en ocasiones podemos pensar en el impacto en la posterioridad, nuestros hijos, nietos, el planeta, todos los seres, pero es difícil hacer un sacrificio tan enorme ahora por un resultado futuro tan vago. Para adentrarnos realmente lo suficiente como para vencer el profundo hábito mental y emocional e, incluso, instinto de la ira, puede resultar fundamental ser capaz de autoidentificarse como un *continuum* de vida que incluye un yo de energía sutil, separable del cuerpo de esta vida (sería más o menos como identificarse con nuestros genes, pero haciéndolo más personal); sentir que la cadena causal evolutiva donde desempeñan un papel nuestros pensamientos, palabras y actos del presente continuará implicándonos más allá de la separación de nuestro burdo complejo cuerpo-mente actual. Estar dispuesto a morir antes que dejarnos llevar por la ira, por ejemplo, puede ser necesario para la derrota final de la ira. Con estos pensamientos, Shantideva nos impulsa en esa dirección.

Sueñas con cien años de felicidad
y, luego, te despiertas.
Sueñas con un momento de felicidad
y, luego, te despiertas.

En ambos despertares,
la felicidad no regresará;
ya sea larga o corta la vida,
como eso, en muerte acaba igualmente.

Incluso si amaso una gran fortuna
y disfruto de felicidad largo tiempo,
hacia la muerte voy en la miseria, con manos vacías,
como si me hubiera robado un ladrón.

¿Por qué pensar, hablar o actuar mal para obtener un beneficio ahora, en esta vida, de manera que el largo futuro se experimente como algo horrible y ruinoso para la felicidad de uno? Aunque ahora pueda parecer que uno va a estar aquí durante mucho tiempo y, por consiguiente, las metas a las que aspira tienen suma importancia, son como metas en un sueño, en un sentido importante. Se puede morir en cualquier momento *–uno se muere en algún momento–* y todo lo que se ha ganado en cuanto a ganancias, fama y placer se perderá al instante. Sin embargo, uno continuará estructurado según las pautas de hábitos e instintos que se han ido formando mediante los pensamientos, las palabras y los actos, y esa estructuración procede, de un modo acumulativo, por supuesto, de un pasado infinito pero afectado de forma notable por los actos evolutivos en la vida actual. Cuando esto se convierte en una afirmación de sentido común, hay importantes razones que impulsan a trazar las acciones mentales, verbales y físicas del modo más consciente, positivo y hermoso que sea posible. Y uno vive esta vida como alguien que no se pasa el día entero dándose un baño caliente, sino que prefiere salir a sudar y entrenar para desarrollar un cuerpo fuerte y hermoso. Por supuesto, uno sí se da una agradable ducha caliente después, así que no se produce un aplazamiento total de cualquier gratificación, lo que pasa es que la orientación que se adopta es más compleja que cuando sólo se perseguía el resultado inmediato.

Tiene suma importancia complicar la orientación ampliando el horizonte más allá de la muerte que concluye esta vida, cuando uno busca la victoria en la lucha contra la ira. O puede darse el caso de que uno deba mantenerse inalterablemente convencido de su laicismo nihilista, o bien, de su ateísmo absolutista, y espere firmemente un cese total de la existencia consciente, o bien, una conciencia celestial radicalmente discontinua y fija, concedida por el Dios absoluto por creencia religiosa, con independencia de la cadena de acciones. En esos casos, la tarea consiste en preocuparse lo suficiente por el impacto que puedes tener sobre los demás, la posterioridad o la comunidad; que es posible vivir aquí y ahora, lo bastante ajeno a la preocupación por uno mismo, que la energía para reprimir la ira se torna más poderosa que la preocupación por las metas inmediatas.

> «Si vivo y tengo buena fortuna,
> puedo borrar el pecado y acumular mérito.»
> Pero si utilizo la ira para conseguir esa fortuna,
> ¿acaso no estoy consumiendo todo mérito y ejecutando
> el pecado?
>
> Si estoy destruyendo el mérito mismo
> por el que estoy vivo,
> ¿para qué vivir,
> si todo lo que hago es intensificar mis pecados?

Podría pensarse: «Bueno, puedo utilizar la ira ahora para destruir a este enemigo y con eso prolongaré y enriqueceré mi vida y la emplearé, junto con el tiempo libre, para desarrollar virtudes como la paciencia». Pero, entonces, la vida más rica y más larga ya se ha entregado a la esclavitud bajo el yugo de la ira y no resultará fácil recuperarla para el cultivo de la paciencia.

«Yo debería enfadarme cuando las personas me critican,
porque con eso arruinan la confianza de otros.»
Entonces, ¿por qué no te enfadas también
cuando ellos critican a otros?

«¡Puedo tolerar con paciencia tal hostilidad,
porque apunta hacia otra persona!»
Entonces, ¿por qué no tolero las críticas que me hacen
porque apuntan sólo a mis adicciones mentales?

Las críticas no molestan cuando su objetivo puede disociarse de uno mismo, como cuando están criticando a otra persona y uno se siente perfectamente cómodo con la situación. Pero cuando el criticado es uno mismo, siempre es por haberse mostrado codicioso, iracundo, soberbio, tacaño, lleno de prejuicios o iluso, así que lo que se está criticando en realidad son esas adicciones mentales fundamentales. Cuando uno se enoja, es porque se siente confuso y se identifica con sus adicciones.

Para las personas que difaman o, incluso, destruyen
iconos, monumentos sagrados o escrituras,
mi ira resultaría inapropiada,
ya que los budas y demás no pueden ser dañados.

No deberíamos entrar en un absolutismo religioso y caer presas de la ira y la venganza aunque la gente cometa sacrilegio y destruya objetos sagrados. Los seres iluminados no son los iconos que la gente hace con ellos y no se preocupan si resultan dañados imágenes materiales, libros o monumentos. Si no se enfadan por eso, ¿por qué debería hacerlo uno? Los periodistas se sorprendieron cuando afirmé que no podía estar de acuerdo con los budistas que se sintieron ultrajados por la destrucción de los grandes budas excavados en la roca del acantilado de Bamiyan que llevaron a cabo los talibanes. Por supuesto, los budistas sí creen que es una acción evolutiva negativa destruir una representación de algo tan positivo como un buda; resulta perjudicial para quien lo destruye, que al hacerlo intensifica su alejamiento de su propio potencial de alcanzar algún día la liberación y la iluminación. De modo que ya se han herido a sí mismos lo suficiente por sus propios actos destructivos; no es necesario enfadarse con ellos además.

Debo detener mi ira contra las personas
que dañan a mentores, parientes y amigos,
al ver, como en los casos anteriores,
que surge de circunstancias mecánicas.

Como los seres sensibles resultan perjudicados
tanto por seres inanimados como por otros seres,

¿por qué debería enojarme sólo con los seres?
¡Más bien debería tolerar con paciencia todos los daños!

En estos dos casos, la paciencia se emplea para entender mejor la relatividad cultivada más arriba.

Si una persona hiere por un engaño
y otra se enoja por un engaño,
¿a quién hay que censurar más?
¿Quién está libre de culpa?

Está claro que el engaño es el culpable en ambos casos, pues quien causa el daño y uno mismo, que se impacienta y enoja, estamos engañados sobre la realidad de las cosas y no somos conscientes de que el daño evolutivo que causa la ira es tan grande como ocasionar una herida propiamente.

¿Por qué cometí malas acciones con anterioridad
que ahora provocan que otros me hagan daño?
Ya que todo proviene de mis propias acciones pasadas,
¿por qué debería enojarme con mis enemigos?

Uno piensa que es inocente y que los ataques de su enemigo son injustificados; por consiguiente, la ira engañada de uno no es tan mala como lo dañino engañado de él. Sin embargo, la causa más profunda que explica su impulso dañino contra ti son las acciones dañinas y la ira que has albergado tú contra él en existencias anteriores. Esto sitúa a ambos en igualdad de condiciones y el único modo de romper el círculo vicioso que no tiene principio es evitar la ira y poner en práctica el aguante. Una vez más, hacemos que el momento inmediato, así como también su reacción y no reacción, adquiera una importancia infinita al vincularlo con el contexto infinito de la continua relatividad de la vida.

> Cuando haya comprendido esto,
> debo hacer méritos escrupulosamente,
> empleando todos los medios para que todos
> adopten actitudes mutuamente amorosas.

Cuando se han sentado las bases del estado consciente, es posible avanzar más en la dirección positiva de la compasión y el amor activos. Una vez más, se invoca el *continuum* multivital de causa y efecto para que en esta ocasión surja con suficiente fuerza de la paciencia.

> ¿Está un hombre condenado a morir infeliz
> cuando es liberado tras cortarle sólo la mano?

¿Por qué soy quien sufre la desgracia humana infeliz
cuando, gracias a ella, me ahorro las penas del infierno?

Si apenas puedo soportar
las penas banales de aquí y ahora,
y dado que es el origen del sufrimiento infernal,
¿por qué no reprimo mi ira?

Para satisfacer mis deseos,
ya he ardido en numerosos infiernos,
y por la mala evolución no he satisfecho
ningún objetivo útil para mí o para otros.

¡Pero ahora, como se ha alcanzado un gran objetivo
al soportar un dolor minúsculo comparado con el infierno,
debería sentir una dicha eufórica
por un sufrimiento que se deshace del dolor para siempre!

Aquí rozamos lo que parece masoquismo, que se deleita en cualquier sufrimiento al experimentarlo totalmente como algo expiatorio y expiativo (la Pasión de Jesús no se entiende bien aquí si se presenta como una serie de atrocidades. Jesús, un héroe trascendente que no se identifica exclusivamente con su cuerpo carnal, experimenta el maltrato que le infligen los romanos como un dolor extático, en el sentido de que se sirve de esas penalidades para cargar sobre sus hombros todos los sufrimientos de todos los seres, con la promesa de expiar todos los pecados de los seres por medio de su abnegación).

> Si otros disfrutan alabando
> a una persona excelente (que es mi rival),
> ¿por qué tú, mente mía, no
> te alegras y la alabas también?
>
> Tal felicidad congratulatoria
> no es algo prohibido, sino muy recomendable;
> la contemplan las enseñanzas de los Dichosos Señores
> y es una de las máximas virtudes sociales.

El júbilo congratulatorio constituye el antídoto más eficaz contra la envidia. Uno de mis lamas más divertidos dijo en una ocasión que es la manera que tienen las personas vagas de acumular méritos y avanzar así hacia la budeidad. Hacen algo grande con un gran esfuerzo y, de este modo, hacen méritos. Uno logra no sentir envidia de sus logros y méritos y también consigue méritos, te regalan un viaje gratis, por así decirlo (de igual modo, uno debe tener cuidado para no permitir que la mente se deje llevar por una satisfacción perversa ante una mala acción de otra persona, ya que, en ese caso, ¡uno recibe una parte del pecado o demérito evolutivo!).

Cuando se hable de mi excelencia,
quiero que otros también sean felices;
Pero cuando el tema es la excelencia de los demás,
no quiero que nadie, ni siquiera yo mismo, sea feliz.

Cuando elogian a tu rival, pierdes por partida doble si permites que la mente opte por la envidia. No sólo no se consigue el elogio ni el éxito, sino que, además, el descontento te hace sentir más desgraciado.

Dado que concebí el espíritu de la iluminación
al querer que todos los seres hallen la felicidad,
¿por qué me encolerizo
cuando hallan la felicidad por sí mismos?

El rival se encuentra entre «todos los seres sensibles» que uno ha prometido liberar del sufrimiento. Aquí han sentido algo de relativa felicidad debido a un pequeño éxito sin que uno haya tenido que hacer ningún esfuerzo y, sin embargo, uno se siente desdichado. ¿Qué significaba la promesa entonces?

Si no me gusta que los demás obtengan cosas buenas,
¿dónde está mi espíritu de iluminación?
¿Cómo podría lograr ese espíritu
si me enojo por la fortuna de otros?

Los elogios y demás no son más que distracciones,
destruyen mi desilusión con el ciclo de la vida,
provocan mi debilidad con la excelencia
y destruyen mi oportunidad de lograr éxito verdadero.

Los elogios y la fama pueden resultar adictivos y distraernos de la persecución de lo que es realmente importante en nuestra vida. Con apariencia de una ventaja, desvían nuestra atención del verdadero objetivo de la vida, que es el desarrollo evolutivo que conduce a la budeidad perfecta.

Así que aquellos que tienen por meta destruir
mi reputación y demás,
¿acaso no están también profundamente comprometidos
con impedir mi caída hasta lo más profundo?

En realidad, quienes procuran hablar mal de nosotros y destruir nuestra reputación mintiendo o exagerando nuestras cualidades negativas nos están ayudando a evitar distracciones y a no apartarnos del principal norte en la vida.

Dedicado a lograr la liberación,
no necesito cadenas hechas de ganancias y estatus;
cuando uno me libera de mis cadenas,
¿cómo puedo estar molesto con él?

Por lo tanto, debemos agradecer con júbilo a aquellos que se esfuerzan por herirnos verbalmente volviendo a otros en contra de nosotros.

Aquellos que desean que yo sufra
son como budas bendiciéndome,
me elevan más allá de todo peligro,
¿por qué debo estar molesto con ellos?

Aquí abrigamos la paciencia suprema, desplazándonos más allá del «¡Perdónales, porque no saben lo que hacen!» hasta el «¡Agradéceselo, porque me proyectan hacia la felicidad suprema!», con un coste muy elevado para sí mismos, una pauta evolutiva negativa que logran al causar daño.

«¿Y si me impide lograr méritos?»
Ni siguiera entonces es justo enojarse con él,
porque no hay mejor penitencia que la paciencia,
¿y no me ayuda él a morar en ella?

Si yo, por mis propios defectos,
fracaso y pierdo la paciencia con él,
no he hecho más que impedirme a mí mismo
aprovechar la oportunidad para hacer méritos.

Si una cosa no sucede sin la otra
y sí sucede cuando está la otra,
esa cosa es causa de la primera;
¿cómo puede esa cosa obstaculizarla?

Cuando hago un regalo, el destinatario
no impedirá mi generosidad.
Quienes conceden la graduación monástica
no impiden la graduación monástica.

Hay muchos destinatarios en este mundo,
pero quien causa daño no lo es a menudo;
si yo no les causo daño,
los seres no suelen causarme daño.

Por lo tanto, debo regocijarme de mi enemigo;
me ayuda a practicar la iluminación,
siendo como un tesoro hallado en el hogar,
sin tener que salir para buscarlo.

Mi lama más divertido y creativo, el difunto Tara Tulku, me impresionó realmente. Yo llevaba ya unos años practicando el budismo y estaba convencido de que había hecho algunos progresos, cuando él me dijo que si en verdad supiera lo que estaba haciendo, me alegraría más bajar a desayunar por la mañana y encontrarme a mi peor enemigo que abrir la puerta al presentador de un concurso televisivo que me entregara un cheque por valor de diez millones de dólares. Tuve que admitir que todavía estaba lejos, bastante lejos de ese logro. Incluso ahora parece imposible, y todas mis excusas no conseguirán igualar el impacto de esas líneas. Por supuesto, tal vez podría utilizar el tesoro de diez millones de dólares para llevar a cabo donaciones y enseñanzas de lo más generosas, y el peor enemigo se sentiría más feliz si le ayudara, incluso con cierta intensidad, a superar ese hábito de enemistad. La clave aquí es si sería capaz de valorar al enemigo, capaz de emplear el daño para desarrollar paciencia trascendente, ya que quizás haya más destinatarios de mis dones que enemigos que me den las oportunidades para desarrollar paciencia que constituyen los agravios.

> Puedo practicar la paciencia con él,
> así que él merece mi primera ofrenda
> de los frutos de la paciencia para él,
> ya que él es la causa de la paciencia.

Las largas décadas de meditación que el Dalai Lama realizó sobre Mao, el gran enemigo del Tíbet, su líder y su pueblo, constituye un ejemplo perfecto de esto. En una ocasión, cuando le preguntaron en una organización asiática a quién admiraba más, no sólo mencionó a Gandhi, el apóstol de la no-violencia, sino también a Mao, el apóstol de la violencia y destructor de la libertad tibetana, sus instituciones del Dharma y más de un millón de miembros de su pueblo. ¿Acaso esta admiración iba demasiado lejos y constituía un remanente de la meditación del Dalai Lama sobre el reconocimiento a su enemigo? ¿Acaso no ponía aún de manifiesto un vestigio de egoísmo, al centrarse en el desarrollo de la paciencia que podía obtener de su daño en lugar de en la necesidad de salvar al propio Mao de los efectos negativos que tiene causar daño y a sus tibetanos de los efectos destructivos del daño?

> «Pero ese enemigo no merece tal veneración,
> ya que no quiere que yo practique la paciencia.»
> Entonces, ¿por qué venerar el Dharma sagrado,
> si tampoco es más que una causa para poner en práctica?

Es la profundidad más honda del impedimento al perdón. Advertimos la intención perversa del enemigo, que quiere ocasionarnos daño, es una acción maliciosa del daño, de modo que, ¿por qué deberíamos no sólo perdonarlo, sino encima valorarlo, añadiendo amor trascendente a la paciencia trascendente? ¡No es más que un enemigo malvado, deberíamos destruirlo, afirma nuestra mente enojada! Pero nos respondemos a nosotros mismos: «Bueno, valoramos y amamos las enseñanzas, el Dharma, aunque sea impersonal y no tenga intención de ayudarnos. Nuestro enemigo no es más que una oportunidad para practicar esta virtud trascendente de suma importancia y muy poco frecuente».

> «¡Pero este enemigo no debe ser venerado
> dado que tiene la intención de dañarme!»
> ¿Cómo podría practicar la paciencia alguna vez
> si todo el mundo tratara, como mi médico, de ayudarme?
>
> Así, como la paciencia se desarrolla
> confiando en aquellos que albergan odio en sus corazones,
> éstos son tan aptos para la veneración como el Dharma
> [sagrado
> ya que ambos son causa de la paciencia.

Aquí está la verdadera mente-buda, la sabiduría de la igualdad, que percibe la igualdad entre una mente llena de odio y el Dharma sagrado. Aquí está la tolerancia paciente del intolerante. Aquí hay amor entregado a cambio de odio, bien a cambio de mal. Es el terreno de todas las grandes personas espirituales y deidades del pasado.

Los siguientes versos constituyen un canto de celebración en honor de Buda, Jesús, Moisés, Mahoma, Mencio, Lao-tsé y todos los santos y maestros de cualquier tradición espiritual a lo largo de la historia, junto con las numerosas madres, viudas y mujeres trabajadoras no reconocidas de todas las sociedades, que soportan tanto maltrato y agravio y siguen esforzándose por poner paz, crear armonía, abrir la puerta a la alegría a pesar de todas las lamentables situaciones que les ha ocasionado toda la insensatez y violencia de los hombres.

> Por lo tanto, el buda Muni dijo
> que el «budaverso» es el mundo de los seres;
> los muchos que han contentado a esos seres
> han logrado así la trascendencia.

El «universo búdico» es el universo en su realidad más profunda, como lo experimentan los seres iluminados; deja de ser un «universo» que gira alrededor de un ser centrado en sí mismo, de ellos mismos o de alguna proyección de su yo aislado como si fuera una deidad absoluta, omnipotente e inmutable. Este universo búdico, «tierra pura», mandala iluminado, no es más que el campo mental interactivo de los seres sensibles, entre los que se incluyen dioses, demonios, seres infernales, animales, fantasmas y demás. De este modo, un *bodhisattva* crea un campo búdico sirviendo a esos seres y haciéndolos felices. Y así concluye un círculo vicioso infinito de enemistad y agravio, y se construye la belleza de la paciencia, propia del universo búdico, cuando el *bodhisattva* no responde al agravio, sino que abraza a la persona que lo hiere con paciencia, amor, aceptación, perdón e, incluso, aprecio.

> Los seres y los budas son iguales
> ya que ambos propician el logro de las cualidades de buda;
> al igual que adoro a los budas,
> es imposible no adorar a los seres.
>
> Además, como los budas son verdaderos amigos de los seres
> que logran sus beneficios inconmensurables,
> ¿qué otra forma hay de pagar esa gentileza
> sino amar y contentar a esos seres?
>
> Los budas han entregado sus cuerpos y entrado en los infier-
> [nos por los seres,
> así que la gratitud hacia ellos significa ayudar a esos mismos
> [seres;
> por lo tanto, aunque los seres causen el mayor de los daños,
> debo tratarlos a todos con la bondad más ingeniosa.

¿Acaso Jesús no coincide con Buda al afirmar que quienes le veían en el más humilde lo veían realmente?

Cuando los seres están felices, los budas están complacidos,
cuando sufren perjuicio, los budas sufren perjuicio.
Los amaré y deleitaré a los budas,
porque si les hiero, heriré a los budas.

Al igual que los sentidos no sienten placer
cuando el cuerpo es pasto de las llamas,
cuando los seres sufren perjuicios,
no hay modo de deleitar al Compasivo.

Por eso, como he causado agravio a esos seres,
y he causado disgusto al Compasivo,
ahora me arrepiento y confieso esos pecados,
e imploro tu indulgencia por tal disgusto.

Para complacer a los Señores Trascendentes,
en adelante me controlaré y serviré al mundo;
que los seres me pateen, me pisoteen la cabeza o me maten;
¡que los sabios del mundo se regocijen, porque no tomaré re-
[presalias!

¿Por qué no veo que todo lo bueno procede
de complacer a los seres sensibles,
no sólo mi logro futuro de la budeidad
sino también gloria, fama y felicidad en esta vida misma?

Incluso en el ciclo normal de la vida, la paciencia confiere
belleza, salud y fama
y propicia una vida larga y agradable
y la dicha de un monarca universal.

CAPÍTULO DIEZ

La resignación ante la ira: el nivel final

En primer lugar, quisiera dejar claro que, esta vez, la resignación ante la ira nunca significa volver a ceder ante la ira. Más bien significa recobrar la poderosa energía que antes controlaba la ira, la energía del fuego, la combustión, la iluminación que disipa todas las sombras, y manejarla con sabiduría.

Cuando la paciencia ha llegado todo lo lejos que puede, y la persona iluminada ha alcanzado la trascendencia durante el proceso, no hay necesidad de utilizar más los agravios como oportunidades para un mayor desarrollo. No puede lograrse por completo ninguna de las trascendencias sin que todas se logren por completo. La paciencia trasciende cuando la sabiduría trasciende, cuando se experimenta por completo el desinterés y deja de existir cualquier diferencia real entre el enemigo, la persona que causa el agravio, el agravio y el paciente agraviado. Quien alimenta la paciencia de forma trascendente no puede sufrir agravio, porque la paciencia trascendente lo ha llenado de una dicha intacta e inagotable. Su dicha de suprema unión sigue siendo consciente de la aparente individualización, pero nunca se echa a perder, ni siquiera por su actual sensibilidad compasiva ante el aún aparente sufrimiento de cualquier otra parte de su cuerpo infinitamente desinteresado que abarca todos los seres vivientes. Entiende cómo su sufrimiento sigue abrumándolos debido a su erróneo sentimiento de alienación de los demás, que los incita a bloquear la realidad de su propia dicha potencial. En su dolor, tratan de salir de su aislamiento hiriendo a los demás, incluidos ellos mismos, pero la aparente herida no puede perturbar su dicha.

Una vez se ha vencido a la ira gracias a los yogas de la tolerancia, la nueva percepción y la paciencia compasiva, aún permanece ahí su virulento fuego para ser utilizado de un modo creativo por el heroico ángel de la sabiduría. La ira se convierte ahora en trascendencia creativa; la ira se convierte en energía heroica dichosa.

Llegados a este punto, la opción de interacción con aquellos que están relativamente separados y sufren relativamente deja de verse dificultada por la necesidad de extraer de la situación un mayor desarrollo de uno mismo. Ya no hay implicado más interés evolutivo propio, no porque uno se haya convertido en un humilde mártir, sino porque uno se ha convertido en un ser realizado plenamente, extático, dichoso y totalmente satisfecho consigo mismo, una persona con «dicha y vacuidad inseparables», a la que en ocasiones se conoce como «heruka», el tipo de héroe o heroína que encarna el desinterés con compasión.

Aquí, en este terreno, la energía que la ira manejaba de un modo tan destructivo se libera para un uso creativo. Citando de nuevo al difunto y gran Tara Tulku, estas energías iban a ser destruidas por completo por la sabiduría cuando formaban un mundo de sufrimiento basado en la ignorancia. Engaño, soberbia/tacañería, lujuria/codicia, envidia y, finalmente, ira: hay que destruirlos todos. El engaño es ignorancia o desconocimiento y constituye la causa fundamental de todos los demás, ya que todos dependen de la cosificación de la distinción entre el yo y el otro, la absolutización del yo de sujetos y objetos, personas y cosas. Cuando, finalmente, se logra acabar con la percepción errónea, las energías se tornan energías de libertad. La sabiduría puede volver a apropiarse de ellas y utilizarlas para reconstruir un mundo de libertad y dicha.

El engaño se convierte en la sabiduría como espejo y deja al descubierto que el mundo de formas materiales es un espejo de relatividad, de libertad blanca diamantina, de autotrascendencia de cada cosa material aparentemente autosubsistente hasta lograr una interrelación pura. La soberbia/tacañería se convierte en la sabiduría de la igualdad, perspicazmente consciente de la igualdad entre el yo y el otro, persona y cosa, el resplandor dorado de la generosidad pura, cuando todos los seres y las cosas se entregan a los demás. La lujuria/codicia se convierte en la sabiduría individualizadora, la energía rojo rubí donde la compasión, sirviéndose de dicha e ingenio, crea formas hermosas para interactuar con los alienados seres que sufren e integrarlos en una relación con los demás seres y cosas que les procure alimento, les suelte las ataduras y los libere. La envidia/rivalidad se convierte en la energía verde esmeralda que unifica el yo y el otro en combinaciones de inconcebible poder que pueden conseguir lo que parecen maravillas a los ojos de seres corrientes, alienados y aislados.

Finalmente, la energía explosiva de la ira se torna en la resplandeciente luz láser del zafiro azul negruzco, propia de la sabiduría de absoluta pureza, la energía relativamente absoluta y completamente inexorable que absorbe todas las diferencias y oposiciones, elimina todos los obstáculos, que disecciona todas las complejidades y nudos de resistencia a la libertad, que reduce a cenizas la vida y la muerte y todo cuanto hay en medio en lo infinitamente libre. Es tan poderosa en la destrucción de toda egolatría y confusión que es imposible luchar contra ella. Es la propia libertad, es una libertad que incluso está libre de la libertad, libre de ser libre, de modo que está infinitamente presente en todos los niveles de relación sensible y creativa. Es como una bomba atómica, una explosión de hidrógeno, un agujero negro y un púlsar, un relámpago y un diamante, que revela la suprema realidad de la no-dualidad, una unidad absoluta y relativa, una comunión entre el yo y el otro, sabiduría y compasión, dicha y vacuidad inseparables.

Las temibles encarnaciones de Buda constituyen un ejemplo de esta energía sumamente poderosa. Yamantaka («el Aniquilador de la Muerte») o Vajrabhairava («el Aterrorizador Adamantino») son formas de Buda contemplativo que sirven de máximos iconos de la Ira ante la Ira. Manjushri, el buda que continúa como *bodhisattva*, el eterno joven de sabiduría trascendente, manifiesta esta encarnación exquisita y terrible de la inmortalidad de la sabiduría. Aunque temblemos de miedo al encontrarnos con esto, no tenemos más que recordar, cuando incluso la muerte ha terminado, que entonces ya no hay más muerte, incluso para la Muerte, y que la Muerte se convierte en una muerte con Vida Infinita.

Bibliografía

Aristóteles, *Rhetoric*, Franklin Center, PA, Franklin Library Edition, 1981 (trad. cast.: *Retórica*, Madrid, Instituto de Estudios Políticos, 1971).

Chaucer, Geoffrey, *The Canterbury Tales*, Franklin Center, PA, Franklin Library Edition, 1981 (trad. cast.: *Cuentos de Canterbury*, Madrid, Cátedra, 1991).

Plutarco, *Moralia*, Cambridge, Harvard University Press, 1984 (trad. cast.: *Obras morales y de costumbres (moralia)* [Obra completa]. Madrid, Akal, 1987).

Schimmel, Solomon, *The Seven Deadly Sins: Jewish, Christian and Classical Reflections on Human Psychology*, Nueva York, Oxford University Press, 1997.

Séneca, Lucio Anneo, *Moral and Political Essays*, Nueva York, Cambridge University Press, 1995 (trad. cast.: *Obras completas*, Barcelona, Aguilar, 1966).

Shantideva, *Introduction to the Way of Enlightenment*, en *Essential Tibetan Budism*, San Francisco, Harper Collins, 1999.

Índice analítico y de nombres